"On m'a déléguée pour vous prévenir!"

"Pour me *prévenir,* m'avez-vous dit?" répéta le Marocain en détaillant Lisa d'un regard qui la fit frémir. "*Vous* avez été déléguée pour me prévenir, *moi,* Yusuf ben Dacra?"

"Laissez-moi seulement vous dire que je suis venue vous..."

"Je n'ai aucunement l'intention de vous écouter, Mademoiselle, et je vous prierais de sortir immédiatement d'ici. Sinon je prendrai les mesures nécessaires pour vous faire expulser."

"Je n'ai..."

Une fois de plus, la voix implacable la réduisit au silence. "Vous êtes une intruse et si vous ne partez pas sur-le-champ, vous vous retrouverez en prison."

Il l'avait chassée. Mais elle trouverait bien le moyen de lui faire entendre raison!

DANS COLLECTION HARLEQUIN

Rebecca Stratton

est l'auteur de

21—A L'ENSEIGNE DU BELIER
41—LA CROISIERE SAUVAGE
95—LA NUIT DE LA LUNE JAUNE
154—ALOUETTE, PETITE ALOUETTE

Ces titres sont disponibles chez votre dépositaire.

La prisonnière du Cheik

par

REBECCA STRATTON

Harlequin Romantique

PARIS • MONTREAL • NEW YORK • TORONTO

Publié en février 1981

ISBN 0-373-41040-9

Dépôt légal 1e trimestre 1981
Bibliothèque nationale du Québec et Bibliothèque nationale du Canada.

Imprimé au Canada—Printed in Canada

1

Lisa était perplexe. Elle se posait, certes, plusieurs questions mais se demandait surtout si Geoffrey avait raison de s'impliquer à ce point dans les toutes dernières activités du groupe. Jusqu'ici, ses membres s'étaient contentés de distribuer des tracts, imprimés à leurs frais et dénonçant des mesures qu'ils considéraient injustes.

Cette fois, cependant, ils avaient décidé de passer à une autre étape et de faire entendre plus bruyamment leurs revendications. Lisa, devant cette nouvelle tactique, était à la fois craintive et impatiente ; Geoffrey, heureusement, savait lui inspirer confiance.

Geoffrey Mason était beau, sérieux et décidément très Britannique. Malgré la chaleur torride de l'été marocain, il s'obstinait à porter costume et cravate. Le jeune homme, aux yeux de Lisa, était tout à fait représentatif de son milieu et de son métier. Employé d'ambassade, il avait suivi les pas de son père, diplomate célèbre, en embrassant cette carrière. Le corps diplomatique, néanmoins, n'apprécierait certainement pas que l'un de ses secrétaires fasse partie d'un groupuscule tel que *Balek !* Et Geoffrey, lui, était-il conscient des conséquences que ses convictions politiques risquaient d'avoir sur son avenir ?

Lisa aimait bien le jeune homme ; elle n'aurait pas voulu qu'il lui arrivât malheur. Il était pour elle un bon ami, sans plus, mais il prenait tout tellement au sérieux qu'elle était souvent inquiète à son sujet.

— Vous êtes bien silencieux, remarqua-t-elle. Etes-vous très nerveux ?

Geoffrey se tourna vers elle, ses yeux gris emplis de tendresse soudaine. La jeune fille n'était pas seulement belle ; elle possédait une fraîcheur, un charme, une sensualité auxquels nul ne restait insensible.

— Je ne puis m'empêcher de songer à ce qui pourrait vous arriver quand vous serez là-bas, avoua-t-il.

Lisa réprima un sourire ; c'était en effet typique de Geoffrey de voir des problèmes là où il n'y en avait pas.

— Nous n'avons pas suffisamment organisé notre coup, poursuivit-il. Si cela tournait mal ?

La jeune fille grimaça. Elle en était consciente mais préférait ne pas y penser.

— Avons-nous le choix ? s'enquit-elle. Nous avons tenté de le rencontrer par tous les moyens mais sans succès. Néanmoins, Geoffrey, vous n'auriez pas dû venir ce soir. Vous risquez gros.

— C'est possible.

Cette insouciance chez le jeune homme n'était qu'apparente car jamais il ne se lançait dans une entreprise sans y avoir mûrement réfléchi au préalable.

— Vous pourriez revenir sur votre parole, suggéra-t-elle tout en sachant fort bien qu'il ne se rétractait pas une fois qu'il s'était engagé. Je ne vous le reprocherais pas, Geoffrey ; je puis très bien me débrouiller seule.

— Il n'en est pas question, déclara-t-il avec fermeté. Vous aurez besoin de quelqu'un à portée de voix ne serait-ce que pour vous épauler moralement. Je me sens tout de même mal à l'aise de rester là à attendre tandis que vous courez un danger.

— Oh, ne soyez pas ridicule ! lança-t-elle en souriant. N'allez surtout pas penser que je n'ai pas besoin de vous ! Loin de là !

Geoffrey ne répondit pas. L'affaire risquait de mal tourner et plus ils s'approchaient de leur destination, plus la jeune fille se sentait nerveuse. L'homme avec qui ils devraient traiter était influent et sa réaction risquait d'être terrible.

Comme il était loin soudain, le café où le groupe se réunissait pour discuter en sirotant des thés à la menthe et en grignotant des gâteaux au miel ! Lisa connaissait plusieurs Marocains — le groupe en comptait même un ou deux — mais elle habitait Casablanca depuis un an seulement. Elle avait auparavant vécu pendant plusieurs années avec sa tante puis avait décidé de venir rejoindre son père, conseiller commercial auprès du gouvernement marocain. Une amie l'avait par la suite présentée au groupe quand elle en avait manifesté la curiosité.

Elle ne serait pas retournée aux réunions s'il n'y avait eu la présence de Geoffrey Mason. Ils avaient en effet fait connaissance le premier soir et avaient sympathisé sur-le-champ.

— Lisa, êtes-vous toujours bien décidée à y aller ? l'interrogea le jeune homme, interrompant ainsi sa rêverie.

— Mais bien sûr, dit-elle. De toute façon, nous approchons du but et ce n'est plus le moment d'avoir le trac.

— Si c'était le cas, insista Geoffrey d'un ton grave, je ne vous blâmerais pas.

Lisa éclata d'un rire aigu.

— Les autres membres du groupe le feraient, néanmoins, et j'aurais nettement l'impression de vous trahir si je me désistais maintenant.

La jeune fille regarda par la glace de la voiture les rues modernes, bien éclairées de Casablanca, puis s'appuya au dossier de son siège et se croisa les mains sur les genoux.

— Cela risque même d'être palpitant, poursuivit-elle. A votre avis, me prendra-t-on pour l'une des invitées du cheik Abahn ?

Geoffrey se tourna vers sa voisine. Ses cheveux longs, décolorés par le soleil, encadraient un ovale parfait, des lèvres charnues, des yeux bleus bordés de cils sombres.

La jeune fille portait une robe de soie jaune à jupe froncée dont le corsage moulait étroitement une gorge haute et ferme. Un fichu vaporeux protégeait sa chevelure du vent.

— Vous êtes très belle, fit-il, de son ton grave qui lui était habituel. Beaucoup trop belle pour aller là-bas seule vous attaquer à Yusuf Ben Dacra.

— Eh bien, cela m'aidera peut-être à le convaincre !

Lisa adressa un sourire à son ami mais son cœur battait à tout rompre en songeant à la mission qu'on lui avait confiée. Yusuf ben Dacra était le fils adoptif du cheik Abahn el Boudri, l'un des hommes les plus puissants et les plus riches du Maroc. Il se proposait de détruire tout un village indigène en vue de construire un hôtel de luxe. Et c'est à cela que s'opposait le groupe. Lisa, en son for intérieur, doutait fort que cet Yusuf ben Dacra daignât même l'écouter si jamais elle arrivait à s'approcher de lui.

Elle vit Geoffrey l'observer du coin de l'œil. De toute évidence, il semblait persuadé qu'elle ne saurait s'acquitter de sa mission.

— Je suis loin d'être rassuré, Lisa, dit-il, confirmant ainsi les soupçons de la jeune fille. Je devrais y aller avec vous, j'en suis convaincu.

— Oh, non, il n'est plus question de changer quoique ce soit à notre plan. Tout ira bien, je n'ai rien à craindre, affirma-t-elle en faisant fi de ses pressentiments. Je vais entrer par la porterne donnant sur le jardin, comme nous l'avions prévu. Puis j'irai trouver Yusuf ben Dacra et lui demanderai d'abandonner la démolition de Zobi, sinon le groupe... sinon nous l'en empêcherons par la force.

— Mais c'est une menace! répliqua Geoffrey, comme s'il n'y avait pas songé auparavant.

— C'en est bien une, n'est-ce pas ? fit Lisa en lui jetant un regard étonné.

— Oui. Oui, bien sûr. Mais vous me semblez si calme, observa-t-il d'un ton de reproche. N'êtes-vous pas nerveuse ?

Lisa sourit et plissa le nez ; elle refusait, à l'instar du jeune homme, d'avouer sa crainte.

— Je me sens toute chose, admit-elle, mais peut-être est-ce uniquement de la surexcitation ? Pour tout vous dire, je n'arrive pas à définir exactement mes sentiments du moment. Je n'ai jamais, de ma vie, signifié un ultimatum à quelqu'un et on me jettera sans doute à la porte. Cela me rassure de savoir que vous m'attendrez à la sortie pour me ramener chez moi.

— S'il n'appelle pas la police !

Lisa sentit son cœur bondir dans sa poitrine. Elle se tourna vers Geoffrey, les yeux écarquillés. Elle risquait de se faire arrêter, elle l'avait toujours su, mais ne s'en rendait vraiment compte que maintenant. Si Yusuf ben Dacra était aussi impitoyable, aussi insensible que son projet pour Zobi le laissait supposer, il ferait appel sans scrupule aux forces de l'ordre. N'appartenait-il pas à l'une des familles les plus influentes de Casablanca ?

— Si l'on m'arrête, lança-t-elle en s'efforçant de prendre un ton badin, vous viendrez me cautionner. J'espère néanmoins que cela ne se produira pas.

— Je le souhaite moi aussi de tout mon cœur, acquiesça Geoffrey d'une voix beaucoup moins optimiste. Yusuf ben Dacra est un homme dur ; il trouvera peut-être que vous avez dépassé les bornes en lui faisant des menaces.

— Vous le croyez *vraiment* ? demanda la jeune fille après quelques instants, craintive soudain car son ami plaisantait rarement.

Le jeune homme prit les mains de Lisa entre les siennes pour la rassurer.

— Vous l'aurez par surprise ; c'est déjà un élément en votre faveur, dit-il. Si vous arrivez à lui adresser votre ultimatum puis à fuir au plus vite, je doute fort qu'il fasse quoi que ce soit avec tous ces invités dans la maison.

— Je l'espère, soupira Lisa.

Celle-ci se sentait désormais profondément impliquée dans cette histoire. Au fait, que connaissait-elle de cet homme qu'elle était sur le point de menacer dans sa propre maison ? Pas grand-chose, songea-t-elle. Elle aurait mieux fait de se renseigner sur son compte.

— Qui est mon adversaire ? Que savons-nous en réalité de ce Yusuf ben Dacra ? s'enquit-elle.

Geoffrey ne répondit pas immédiatement.

— Très peu, confessa-t-il au bout d'un moment. Il est le fils adoptif du cheik Abahn.

— Est-ce à dire qu'il serait le *vrai* fils du cheik ?

Geoffrey haussa les épaules ; cette question le mettait de toute évidence mal à l'aise. Le célèbre cheik Abahn el Boudri gardait-il sous son toit un fils illégitime ? Le jeune homme hésitait à se prononcer sur une question aussi délicate.

— On le dit, avança-t-il prudemment. Mais je me

méfie des rumeurs. Il ne serait pas complètement arabe, prétend-on également ; il aurait du sang européen... ce dont je doute fort d'après son physique.

— Vous l'avez donc déjà vu ?

— Une seule fois, répondit Geoffrey, lors d'une réunion. Il parle un bon anglais, un français impeccable, se débrouille en espagnol et en italièn. Et l'arabe, cela va sans dire.

— Décrivez-le moi physiquement, insista Lisa.

— Eh bien... il a l'air d'un Marocain, tout simplement, fit le jeune homme en haussant les épaules. Très brun, un peu plus grand que la moyenne peut-être. C'est un ingénieur renommé, un excellent homme d'affaires, réputé pour son honnêteté.

— Mais qui pourtant se propose d'abuser sans hésiter de ses compatriotes ! ajouta Lisa en fronçant les sourcils. Sa réputation d'homme foncièrement honnête me semble légèrement usurpée, Geoffrey. S'il l'était réellement, jamais il n'aurait conçu ce projet pour Zobi.

— Vous avez peut-être raison, admit Geoffrey. De toute façon, je n'aime pas vous voir aller là-bas, Lisa. Plus j'y pense, moins cette idée me plaît. Je veux vous accompagner... j'insiste.

— Et moi, j'insiste pour y aller seule, coupa la jeune fille d'un ton si péremptoire que son compagnon se tourna vers elle avec surprise. Ne vous inquiétez pas à mon sujet, poursuivit-elle en posant une main sur le bras de Geoffrey comme la voiture empruntait une rue étroite. Je ne veux plus en discuter, je vous en prie.

Le jeune homme ne répondit pas. Il n'était visiblement pas d'accord. Et lorsqu'il freina enfin entre deux rangées de murs très hauts, son visage était empreint de gravité. Derrière ces murs se cachaient des jardins odoriférants et des terrasses, des maisons luxueuses appartenant à de riches Marocains, tel le cheik Abahn. Il arrêta le moteur ; et on ne perçut, dans le silence absolu que le bruissement des arbres.

Lisa eut un nouveau frisson d'appréhension. La rue, faiblement éclairée, lui semblait soudain être une prison. A intervalles rapprochés, les murs escarpés étaient percés de portes. Et si leur informateur ne s'était pas trompé, celle qui donnait accès à la propriété du cheik Abahn n'était pas fermée à clef.

— C'est ici, chuchota Geoffrey.

Il avait garé la voiture face à l'une des poternes. Solide, épaisse, renforcée de barres de fer, la porte était apparemment conçue pour éloigner les indésirables.

— Elle n'est pas fermée à clef ? En êtes-vous certain ? s'enquit la jeune fille.

Geoffrey opina de la tête.

— Elle ne l'est jamais, m'a-t-on assuré. Le cheik Abahn est certainement d'un naturel confiant.

— Oh, Geoffrey ! Ne me rendez pas la tâche plus difficile encore ! implora-t-elle en tournant vers lui un regard chargé de reproche. Je suis mal à l'aise à l'idée de profiter de sa crédulité.

— Peut-être est-il tout simplement négligent, suggéra le jeune homme. Lisa, je devrais, je crois...

— Eh bien, c'est le moment ou jamais d'y aller, l'interrompit-elle.

Elle adressa un dernier sourire au jeune homme avant d'ouvrir la portière.

— Je verrai Yusuf ben Dacra coûte que coûte, ajouta-t-elle. Que je meure, si je mens !

— Ne parlez pas ainsi, Lisa, fit Geoffrey avec sérieux. Il n'y a pas matière à rire.

Mais, avant même qu'il pût la retenir, la jeune fille était sortie de la voiture. Elle regarda à gauche puis à droite. La rue déserte lui parut sinistre et elle éprouva un moment d'angoisse. A son grand soulagement, Geoffrey sauta de l'automobile à son tour et s'approcha d'elle.

Lisa sentait son cœur battre à grands coups ; elle avait les mains toutes moites. Jamais elle n'avait ressenti une telle peur auparavant. Elle faillit, l'espace d'un instant, succomber à la tentation et permettre à Geoffrey de l'accompagner ; mais à l'idée que Yusuf ben Dacra pût faire appel à la police, elle se maîtrisa de crainte de nuire à la carrière du jeune diplomate.

— Je vais d'abord m'assurer que la porte est bien ouverte, chuchota-t-elle en prenant son courage à deux mains.

Elle laissa donc son ami au beau milieu de la chaussée jeter des coups d'œil furtifs autour de lui et s'approcha du mur, les jambes vacillantes, en souhaitant presque que leur informateur se fût trompé. La jeune fille saisit la poignée et poussa la porte qui s'entrouvrit lentement. Elle s'immobilisa, inquiète, et se mit à respirer bruyamment. Puis, se tournant enfin vers Geoffrey, elle lança à voix basse, d'un ton qu'elle tentait de rendre triomphant :

— Ça y est !

Derrière la porte s'étendait non pas un jardin mais un long passage couvert, des plus sinistres. Décontenancée, Lisa eut un instant d'hésitation.

— Lisa ? murmura Geoffrey, devinant le désarroi de son amie.

Celle-ci leva une main pour lui faire signe de garder le silence puis franchit la porte.

— Tout va bien, assura-t-elle. J'essaie de m'orienter.

Le passage était obscur, froid, humide ; la jeune fille perçut cependant des voix tout au bout et s'en trouva étrangement rassurée. Elle se retourna, agita la main une dernière fois, puis referma la porte derrière elle.

Sa jupe frôlant les parois suintantes, elle s'engagea dans l'étroit couloir et se retrouva enfin à l'autre extrémité, à l'air frais. Elle eut tout à coup le sentiment d'avoir été libérée de prison ; mais sa tâche la plus difficile l'attendait car elle ignorait totalement comment trouver Yusuf ben Dacra et lui communiquer le message du groupe.

Elle se trouvait à l'intérieur d'un patio entouré de bougainvillées et de jacarandas violets. Des fleurs à profusion, de toutes les nuances, embaumaient l'air d'un parfum capiteux. Au centre, une gerbe d'eau retombait avec un bruit cristallin dans une grande vasque de pierre.

C'était un endroit enchanteur. Lisa, à tout autre moment, se serait plu à l'admirer, mais elle ne pensait actuellement qu'à sa mission.

— Bonsoir, mademoiselle !

Lisa sursauta et se retourna vivement. Elle semblait si stupéfaite que le jeune homme qui venait de lui adresser la parole l'observa avec curiosité.

— Je... je suis désolée, murmura-t-elle en tentant de reprendre ses esprits. Je ne vous avais pas vu.

— Ah ! Vous êtes Anglaise... je vous aurais crue française, expliqua-t-il en la détaillant des pieds à la tête d'un regard appréciateur. Vous êtes si... élégante !

La jeune fille ne put s'empêcher de sourire en entendant ce compliment. L'inconnu, âgé de vingt-cinq ou vingt-six ans, était très brun et surtout très beau, comme beaucoup de Marocains ; peut-être pourrait-elle même s'en faire un allié. En tant qu'invité du cheik, il connaissait sûrement, du moins de vue, Yusuf ben Dacra.

L'attitude perplexe de Lisa cependant n'avait pas échappé au jeune homme.

— Vous me semblez mal à l'aise, déclara-t-il. Auriez-vous été abandonnée par votre cavalier ?

— Oh, non, pas du tout, fit Lisa en secouant la tête.

Le nouveau venu était de toute évidence de plus en plus intrigué. La tête penchée de côté, il l'observa pendant quelques instants.

— Vous n'êtes certainement pas venue seule! Aucun homme digne de ce nom ne l'aurait permis... j'ai du mal à le croire!

Lisa, en d'autres circonstances, se serait bien laissé conter fleurette par un jeune homme aussi séduisant. Mais comme elle avait d'autres préoccupations, elle se contenta de sourire d'un air distant.

— Je suis Yacub ben Abahn el Boudri, dit-il.

Il était donc membre de la famille du cheik. La jeune fille serra la main qu'il lui tendait, sans toutefois se présenter car elle préférait ne pas dévoiler son identité.

— Vous êtes le fils du cheik Abahn? s'enquit-elle.

— L'un de ses fils, corrigea-t-il avec un large sourire dévoilant des dents bien blanches. Je suis le benjamin, pour être précis. J'ai six frères.

En comptant son frère adoptif Yusuf ben Dacra, songea Lisa.

— Mes frères ne vous intéresseront sûrement pas, continua-t-il. Ils sont tous mariés, à l'exception de l'un d'entre eux. Moi non plus, je ne le suis pas. Pas encore, du moins.

— Vous parlez un excellent anglais, remarqua Lisa en tentant de dévier la conversation sur Yusuf ben Dacra sans trop savoir comment. Avez-vous fait vos études en Angleterre, Monsieur?

— Mon père a été éduqué là-bas, ainsi que quatre de ses fils. Quant à mon frère adoptif, il est doué pour les langues; il a enseigné l'anglais à notre jeune sœur.

C'était le moment ou jamais et Lisa profita de l'occasion.

— Vous voulez parler de Yusuf ben Dacra ? s'enquit-elle immédiatement.

Le jeune homme, de plus en plus intrigué, la fixait d'un regard inquisiteur.

— Vous connaissez Yusuf ?

— De fait, je suis venue ici spécialement pour le rencontrer, avoua-t-elle avec anxiété.

Yacub Boudri, surpris, fronça les sourcils.

— Je *dois* absolument le voir ce soir, c'est essentiel, poursuivit la jeune fille. Je vous serais extrêmement reconnaissante de me le désigner.

— Vous voulez absolument lui parler et vous ne l'avez jamais vu ?

— J'ai à lui dire quelque chose d'une importance extrême, implora-t-elle. C'est urgent... très urgent !

Elle se sentait tout près du but maintenant et elle était persuadée que le jeune homme lui viendrait en aide.

— Je suis fort intrigué, répliqua-t-il. Je n'ai jamais vu mon frère faire des affaires avec de belles jeunes femmes. Ce n'est pas du tout son genre. Mais peut-être n'est-ce pas une affaire ordinaire ?

— Oh, n'allez pas croire que...

Lisa s'interrompit et devint rouge de confusion en apercevant les yeux de velours se poser encore une fois sur son visage d'un air appréciateur.

— Je vous serais extrêmement reconnaissante si vous me le montriez, répéta-t-elle.

— Je vais faire mieux encore, promit Yacub Boudri en riant tout en posant une main sur le bras de la jeune fille. Je vais demander à Yusuf de venir vous voir ici même... pour cette affaire urgente !

Lisa comprit alors que Yacub, même s'il n'en croyait rien, était suffisamment intrigué pour jouer le jeu.

— Je tiens à vous mettre en garde, cependant, dit-il en reprenant soudain son sérieux. Vous avez peut-être réussi à me berner mais Yusuf ne se laissera pas prendre au piège. Il n'est pas très indulgent envers les intrus... ni envers les intruses, aussi belles soient-elles. Ne l'oubliez pas.

— Je m'en souviendrai, promit-elle. Je vous remercie.

Le jeune homme traversa le patio en direction de la maison.

Lisa, en attendant, se mit à regarder autour d'elle. La lune baignait d'une lumière douce la végétation luxuriante. Tout près, un magnolia balançait ses fleurs de cire. La jeune fille ne put résister à la tentation de pencher la tête et de respirer leur lourd parfum, oubliant ainsi momentanément la raison de sa présence dans ce jardin de rêve.

Quand elle se redressa, elle eut un hoquet de surprise. Yusuf ben Dacra s'approchait à grandes enjambées. En apercevant sa mine sévère, elle n'eut qu'une envie : tourner les talons et reprendre au plus vite le long passage froid et humide.

L'ingénieur avait le port altier, la démarche arrogante. Grand, viril, basané, il avait les cheveux et les yeux noirs, les pommettes hautes, le nez droit, la bouche ferme. Il portait une chemise bleu pâle et un costume blanc qui rehaussait son teint mat, soulignait son corps musclé et ses jambes longues. A le voir ainsi, on devinait l'homme décidé, fort de caractère. Et Lisa se sentit trembler d'appréhension.

— J'ignore qui vous êtes, mademoiselle, commença-t-il d'une voix grave, séduisante, et je veux savoir la raison de votre présence ici... je l'exige.

Yusuf ben Dacra observait la jeune fille d'un regard scrutateur. Celle-ci dut s'armer de courage pour prendre la parole.

— Etes-vous Yusuf ben Dacra ?

Ce dernier opina brièvement de la tête.

— Vous n'êtes reliée en aucune façon ni à ma vie

professionnelle ni à ma vie privée. Vous avez donc un autre motif pour vouloir me rencontrer, mademoiselle. Et comme je n'ai pas l'habitude de délaisser des invités de marque pour répondre aux sommations étranges de femelles inconnues, vous avez de la chance que je ne vous renvoie pas de la propriété de mon père et que je ne vous fasse pas arrêter. Bonsoir mademoiselle !

— On m'a déléguée pour vous prévenir, Yusuf ben Dacra ! s'écria la jeune fille aussitôt.

Les yeux noirs du Marocain, empreints à la fois de mépris et de curiosité, rétrécirent imperceptiblement.

— On vous a déléguée pour me *prévenir*, m'avez-vous dit ? répéta-t-il en détaillant Lisa d'un regard qui la fit frémir. *Vous* avez été déléguée pour me prévenir, *moi*, Yusuf ben Dacra ?

— Laissez-moi seulement vous dire ce que je suis venue vous... commença-t-elle.

— Je n'ai aucunement l'intention d'écouter ce que vous avez à me dire, mademoiselle, et je vous prierai de sortir immédiatement d'ici de la même façon dont vous êtes entrée. Sinon je prendrai les mesures nécessaires pour vous faire expulser !

Lisa, trop bouleversée pour prononcer une seule parole, ne put répondre. Mais au moment où le Marocain s'apprêtait à quitter le patio, elle sentit surgir en elle une brusque flambée de colère.

— Je n'ai...

Une fois encore, la voix implacable la réduisit au silence.

— Niez-vous donc vous être introduite chez mon père par la poterne ? interrogea-t-il.

Il tendit la main pour arracher le fichu de soie jaune entourant la chevelure de la jeune fille et, le brandissant sous ses yeux, lui montra des traces de terre humide provenant sans aucun doute des parois du passage.

— Vous êtes une intruse et si vous ne partez pas sur-le-champ, vous vous retrouverez en prison !

Lisa tremblait. Mais plus seulement par peur. Elle était en colère et éprouvait en même temps un sentiment étrange, indéfinissable.

— Vous n'avez pas le droit de me faire arrêter uniquement parce que je suis entrée chez vous sans y avoir été invitée, déclara-t-elle. Je ne partirai pas avant...

Elle laissa échapper un hurlement de douleur. D'une main ferme, le Marocain lui avait saisi le bras et l'avait entraînée jusqu'à l'entrée du passage. Lisa tenta de se libérer de son étreinte mais en vain. Et tout en trébuchant dans le long tunnel lugubre, elle marmonna d'une voix haletante des menaces indignées.

Quelques instants plus tard, elle était précipitée dans la rue. Bouleversée, hors d'haleine, elle entendit la lourde porte de bois se refermer et la clef tourner dans la serrure.

Geoffrey, surpris par la brusque apparition de la jeune fille, mit un moment avant de se ressaisir. Puis il accourut vers elle et l'entoura de ses bras d'un geste protecteur.

Lisa, le cœur battant, le visage cramoisi, tremblait encore. De colère, croyait-elle fermement. Elle adressa à son camarade un pauvre sourire.

— C'est raté, confessa-t-elle, trouvant soudain Geoffrey bien pâlot comparé à Yusuf ben Dacra.

— Comment vous sentez-vous ? s'enquit le jeune homme. Que s'est-il passé ?

Lisa se remémora la façon cavalière dont on l'avait jetée à la rue et son sang ne fit qu'un tour. Elle était plus déterminée que jamais à empêcher cet homme de démolir Zobi. Sa lutte contre Yusuf ben Dacra devenait une affaire personnelle ; et elle n'abandonnerait pas avant d'avoir remporté la victoire, se promit-elle.

— Il m'a peut-être chassée, aujourd'hui, mais il ne s'en tirera pas aussi facilement. Il finira par m'écouter, qu'il le veuille ou non !

— Cela ne me dit rien de bon, murmura Geoffrey.

Lisa, en entendant cette phrase, se sentit tout à coup, à son grand étonnement, un élan d'impatience envers le jeune homme.

— Peu importe ! lança-t-elle. Je me charge moi-même de Yusuf ben Dacra ! Je trouverai bien un moyen de lui faire entendre raison ! Faites-moi confiance !

2

Lisa était vexée d'avoir échoué la veille. Yusuf ben Dacra, contrairement à toute attente, n'était pas l'homme qu'elle croyait. Il s'était montré dur, insensible, certes, mais il y avait chez lui — elle était forcée de l'admettre — un je-ne-sais-quoi qui avait éveillé en elle des émotions insoupçonnées. Et la façon dont il avait pris la situation en main avait complètement désarçonné la jeune fille.

La nuit cependant n'avait atténué en rien sa décision. Tout en prenant son petit déjeuner, Lisa méditait sur les différentes manières d'aborder l'homme. Elle portait de temps à autre, bien inconsciemment d'ailleurs, sa main à son bras gauche, là où le Marocain l'avait empoignée ; à ce souvenir, elle était plus déterminée que jamais à réparer son échec.

Comme Geoffrey travaillait toute la journée à l'ambassade à Rabat, Lisa décida de faire une promenade en voiture le long de la côte et de réfléchir à un autre moyen de s'attaquer à Yusuf ben Dacra. Quand elle prenait le volant, elle se détendait complètement et arrivait ainsi à mettre ses pensées en ordre.

Il faisait une chaleur torride tandis qu'elle roulait boulevard Sour Sjedid. Mais une fois hors de la ville, sur la corniche, la brise soufflant de la mer vint rafraîchir son visage et ses bras.

La vue était grandiose. Les rochers escarpés, battus par le déferlement incessant des flots, exerçaient sur Lisa une fascination sans bornes.

Elle connaissait, non loin de Casablanca, un petit plateau à l'écart de la route d'où elle pouvait admirer le panorama à loisir. L'endroit, quelque peu dangereux, n'était guère fréquenté par les automobilistes ; la jeune fille s'y était avancée avec précaution la première fois, mais à force d'y aller, elle se montrait maintenant moins craintive.

Elle arrêterait la voiture là où les rochers plongeaient dans l'Atlantique, songea-t-elle, puis irait s'asseoir sur une pierre plate pour contempler le spectacle majestueux.

C'était peut-être risqué de conduire ainsi sur un terrain aussi rocailleux au bord de l'abîme, mais Lisa avait déjà emprunté ce chemin plusieurs fois sans ennuis ; seule la suspension de sa voiture en avait subi les conséquences. Quand la jeune fille quitta la route, il n'y avait personne aux alentours sauf quelques ouvriers au loin. Elle rétrograda en première pour s'engager sur les rochers et grinça des dents en prévision des cahots.

— Quelle bécasse ! jura-t-elle à haute voix.

Les roues avant venaient de buter contre une grosse pierre. Le volant lui échappa soudain des mains et, à sa grande horreur, elle perdit contrôle de son véhicule. L'automobile se dirigea vers un énorme rocher. La jeune fille, impuissante, ne put qu'appuyer à fond sur la pédale de frein.

La voiture s'arrêta brutalement. Lisa, sous l'effet du choc, alla se heurter la tête contre le pare-brise puis s'affala, sans connaissance, sur le volant.

Quand elle reprit ses esprits, elle perçut tout d'abord des voix. On parlait arabe autour d'elle.

Des mains maladroites lui tâtaient le front. Sa tête lui faisait mal et elle se sentait les paupières lourdes.

Elle eut tout à coup le visage en plein soleil. On répéta le mot *effendi* puis il y eut un silence. La jeune fille n'était pas encore suffisamment consciente pour ouvrir les yeux mais elle arrivait maintenant à saisir certains faits.

Le nouveau venu, qui portait une eau de cologne coûteuse, se pencha sur elle.

Une main plus assurée, mais plus douce cette fois, palpa son front. Lisa poussa un gémissement involontaire quand ces doigts touchèrent une bosse particulièrement sensible à la naissance de ses cheveux. Cet inconnu lui rappelait étrangement quelqu'un, se dit-elle avant de sombrer de nouveau dans l'inconscience.

Quand elle revint à elle, des bras forts l'avaient soulevée et sa tête était appuyée contre une épaule masculine. Elle se sentit soudain si rassurée qu'elle se laissa aller de tout son poids. Elle détourna son visage pour échapper aux rayons ardents du soleil et le nicha contre une chemise fraîche recouvrant une poitrine musclée.

— Mademoiselle ?

Lisa gémit et battit des paupières en reconnaissant cette voix à la fois douce et grave, particulièrement séduisante, et se pelotonna davantage contre l'épaule ferme.

C'était la même voix qui l'avait menacée de la jeter en prison si elle ne quittait pas immédiatement la propriété du cheik Abahn. La jeune fille n'avait pas particulièrement envie d'avoir à affronter Yusuf ben Dacra. Elle entendit des murmures et quelques instants plus tard, on la déposait avec un soin infini sur ce qu'elle crut être un lit moelleux.

Une main dégagea d'un geste doux les cheveux sur son front. Mais Lisa persistait à garder les yeux fermés pour ne pas revoir le visage dont elle se rappelait si clairement les traits inquiétants.

— Mademoiselle, essayez d'ouvrir les yeux, je vous en prie !

Lisa obéit presque instinctivement et souleva avec peine ses paupières. Elle était étendue sur la banquette arrière d'une longue voiture luxueuse qui sentait le cuir et l'eau de cologne.

L'homme, était agenouillé auprès d'elle, se redressa aussitôt et retira sa main. Il sortit à l'extérieur et s'immobilisa un moment pour étudier sa passagère.

— Vous êtes revenue à vous, Mademoiselle ; vous m'en voyez fort heureux, fit-il dans un excellent anglais. Votre véhicule est toutefois dans un état lamentable. Vous sentez-vous la force de vous asseoir ?

Sur ce, sans lui laisser le temps de répondre, il s'agenouilla à nouveau entre le siège avant et la banquette arrière, glissa un bras sous les épaules de la jeune fille et, la soulevant, l'approcha de lui. Il ne portait pas de veston ; sa chemise couleur crème épousait à merveille son torse musclé et laissait paraître à l'encolure sa peau mate. C'était un homme décidément bien troublant, songea-t-elle, et elle en fut irritée sans savoir pourquoi.

Assuré maintenant que Lisa était bien remise, il sortit une seconde fois de la voiture et elle put alors l'examiner à loisir. Son pantalon, assorti à sa chemise, moulait ses hanches minces ; malgré la simplicité de sa mise, il n'avait pas perdu une once de son arrogance. Il était tout aussi impressionnant, tout aussi irrésistible qu'il l'avait été la veille dans les jardins du cheik Abahn.

— Je ne comprends pas très bien ce qui s'est produit, se risqua Lisa, rompant ainsi le lourd silence.

— Vous avez quitté la route, semble-t-il, et vous vous êtes aventurée délibérément sur les rochers, mademoiselle, la renseigna Yusuf ben Dacra. Ces deux hommes n'étaient pas très loin et ont tout vu.

Les yeux noirs la fixaient avec assurance et la jeune fille dut faire un effort pour soutenir ce regard sans broncher.

— Selon les ouvriers, vous avez été frappé d'insolation, ajouta-t-il. J'ai tendance à les croire vu qu'aucun être jouissant de toutes ses facultés ne se serait aventuré dans un endroit semblable.

— Eh bien, vous avez tort ! rétorqua Lisa, indignée, en levant fièrement la tête.

Le mouvement, cependant, lui causa une vive douleur au front et elle jeta sur Yusuf ben Dacra un regard chargé de reproche comme si elle le tenait responsable de son mal.

— J'y suis déjà allée plusieurs fois et y ai garé ma voiture sans problème, poursuivit-elle.

— Vous avez eu de la chance, répliqua Yusuf ben Dacra sans hésiter. N'avez-vous jamais réfléchi au danger d'une telle escapade ?

Lisa, les yeux baissés, ne répondit pas ; elle se sentait malheureuse comme les pierres car elle n'avait rien à dire pour sa défense.

— Vous avez également beaucoup de chance d'avoir la vie sauve. Vous auriez pu tomber dans le précipice et vous écraser sur les écueils.

Il avait raison ; mais la jeune fille refusait de l'admettre. Elle était froissée de se faire réprimander ainsi. Dans son désarroi, elle aurait eu au contraire besoin de compassion. Elle leva le regard vers lui ; toutefois, les yeux du Marocain n'exprimaient que de l'impatience.

— Je n'ai jamais eu d'ennuis jusqu'ici, insista-t-elle d'une voix rauque pour tenter de se justifier. J'ai tout simplement heurté une grosse pierre.

— Il aurait été en effet difficile de faire autrement en conduisant sur un terrain aussi rocailleux ! remarqua-t-il avec un mépris non dissimulé.

Les deux ouvriers observaient la scène avec attention. Ils ne comprenaient probablement pas l'anglais mais il était manifeste que la conversation tournait à la querelle.

— De toute façon, poursuivit-il, vous n'avez plus de voiture.

Lisa, une main à son front douloureux, leva vers lui un regard mal assuré. Elle, si indépendante en temps normal, était furieuse de se sentir si démunie. Yusuf ben Dacra s'était empressé de lui venir en aide mais ne semblait pas vouloir en faire davantage. Comment se résoudrait-elle à lui demander de la ramener à la maison ? se dit-elle en sortant de la voiture à son tour.

Au moment où elle allait poser par terre ses jambes vacillantes, deux mains saisirent les siennes et l'aidèrent à se redresser. Et Lisa, à sa grande stupéfaction, sentit un long frisson la parcourir tout entière.

Quand enfin Yusuf ben Dacra relâcha son étreinte, ce fut avec une lenteur, une sensualité qui la firent tressaillir.

— Vous êtes blessée très légèrement au front, expliqua-t-il ; pas assez gravement, heureusement, pour consulter un médecin. Vous avez beaucoup de chance de vous en êtes si bien tirée.

— Vous vous répétez ! ne peut-elle s'empêcher de lancer en se sentant particulièrement désagréable, vu les circonstances.

Son front la faisait souffrir et elle se demanda si le Marocain ne faisait pas exprès d'amoindrir l'importance de sa blessure. Elle avait une bosse à la naissance des cheveux et sa peau était écorchée.

— Cela fait très mal, lui dit-elle. Je me suis sans aucun doute heurtée contre le pare-brise en freinant.

— C'est l'explication la plus plausible, acquiesça Yusuf ben Dacra. Vous étiez sans connaissance quand je suis arrivé ; les ouvriers vous avaient déjà sortie de la voiture et étendue par terre. Ils ont fait de leur mieux.

— Et je leur en suis reconnaissante.

La jeune fille se rappela soudain avec trouble Yusuf ben Dacra la soulevant dans ses bras... la force, la virilité se dégageant de ce corps puissant.

— Vous m'avez portée jusqu'à votre voiture, continua-t-elle avec une douceur inaccoutumée. C'est très aimable de votre part.

— Il fallait vous étendre à l'ombre, fit-il brièvement, et ma voiture semblait être le meilleur endroit.

— Je vous remercie, dit-elle en portant une main à son front d'un geste machinal.

Elle grimaça involontairement en effleurant sa bosse. Elle se sentait encore un peu étourdie et se demandait par quel moyen elle rentrerait chez elle. L'attitude de Yusuf ben Dacra ne présageait rien de bon en ce sens.

— Me voilà dans de beaux draps ! continua-t-elle avec un pauvre sourire tout en essayant de deviner la réaction de l'ingénieur à travers ses yeux mi-clos.

— Habitez-vous Casablanca, mademoiselle ?

Lisa opina de la tête avec circonspection.

— Dans ce cas, vous rentrerez avec moi.

La jeune fille imagina aussitôt le trajet du retour en compagnie de l'homme dont elle avait tant cherché à faire la connaissance la veille et en ressentit une vive émotion.

— C'est très aimable de votre part, Monsieur, répondit-elle en affectant un ton détaché. Si cela ne vous oblige pas à faire un détour, cela va sans dire.

— J'habite Casablanca, mademoiselle, et vous le

savez, lui rappela-t-il. Vous préférez peut-être attendre qu'un taxi vienne vous chercher ou encore rentrer en ville à pied. Votre voiture est hors d'usage et, par ailleurs, vous n'êtes pas en état de marcher pour le moment.

Il aurait pu au moins prendre une voix plus chaleureuse, songea Lisa ; mais une offre faite de mauvaise grâce était à prendre malgré tout. En d'autres circonstances, c'eût été pour elle l'occasion rêvée de remédier à son échec de la veille, mais la jeune fille pouvait difficilement proférer des menaces à un homme disposé à l'aider.

Ce dernier ne comprit pas de toute évidence la raison de sa réticence car il fronça les sourcils. Il la considérait sans aucun doute comme une personne bien contradictoire. La veille, n'avait-elle pas été prête à se faire jeter ne prison pour le voir, alors qu'aujourd'hui elle témoignait d'un enthousiasme mitigé à l'idée de rentrer à Casablanca en sa compagnie ?

— Quand vous aurez pris une décision, à savoir si je vous raccompagne ou non, mademoiselle, déclara-t-il d'une voix teintée de sarcasme, peut-être pourrons-nous nous mettre en route ?

— Oh, oui, bien sûr ! se ressaisit-elle. Je serais très heureuse que vous me déposiez chez moi.

— Je pose néanmoins une condition ! ajouta-t-il.

Lisa leva brusquement la tête.

— Si vous recommencez à proférer des menaces comme vous l'avez fait hier soir chez mon père, je ne me gênerai pas pour arrêter la voiture et vous abandonner à votre sort. Est-ce bien clair ? Si je vous raccompagne chez vous, c'est avec l'assurance que vous vous conduirez plus poliment que lorsque vous êtes entrée dans nos jardins sans y avoir été invitée.

Lisa devint écarlate. Indignée, la tête haute, elle déclara d'une voix tremblante :

— Nous avons tous deux manqué aux règles de la bienséance, hier soir, monsieur. Mes manières ne sont pas plus mauvaises que les vôtres. J'avais une excellente raison d'agir de la sorte.

Yusuf ben Dacra soutint pendant un moment le regard de la jeune fille avec un tel mépris que celle-ci finit par céder et baisser le regard.

Il ouvrit la portière et lui fit signe de monter. Puis il se retourna et s'adressa aux ouvriers. L'un d'eux inclina légèrement sa tête enturbannée en direction de la jeune fille et prononça quelques mots en arabe.

Malgré leurs *sarouals* poussiéreux et leurs chemises de coton grossier, il se dégageait de ces deux hommes une dignité touchante.

— J'aimerais les remercier de m'être venus en aide, fit la jeune fille rapidement avant le départ des ouvriers. Auriez-vous l'obligeance de le leur dire de ma part, s'il vous plaît ?

Yusuf ben Dacra les rappela aussitôt. Les ouvriers se retournèrent, écoutèrent les paroles du Marocain et inclinèrent à nouveau la tête avec gravité avant de repartir.

Lisa jeta tristement un dernier coup d'œil vers sa petite voiture toute cabossée puis monta dans celle de l'ingénieur.

Celui-ci s'installa au volant et démarra.

— Vous vous rendez compte, j'espère, à quel point vous avez eu de la chance de vous en être si bien tirée, mademoiselle, fit-il. Votre voiture est irrécupérable, je le crains. Vous pouvez tout de même vous adresser à un garage à votre retour au cas où l'on réussirait à en tirer quelque chose.

Lisa avait une affection particulière pour son tacot ; mais Yusuf ben Dacra n'était sûrement pas homme à comprendre un tel sentiment.

— J'aimais tant cette vieille Lizzie, prononça-t-elle laconiquement.

— Eh bien, dans ce cas, vous tenterez de la faire réparer si c'est possible, répliqua-t-il d'un ton où la jeune fille détecta avec surprise une pointe de sympathie. Je vous conseille d'aller voir Omar el Idris, rue Tarik. Peut-être saura-t-il vous aider. Si, par contre, il vous assure, ne rien pouvoir faire pour vous, croyez-le sur parole. C'est le meilleur mécanicien de Casablanca.

Lisa fut particulièrement touchée par cette prévenance inattendue et ne sut que répondre, tant sa stupéfaction était grande.

— J'irai le voir, déclara-t-elle au bout d'un moment. Je vous remercie.

Deux yeux noirs l'observèrent un instant. Et Lisa, sous ce regard velouté, sentit son cœur battre à tout rompre.

— *Il n'y a pas de quoi, mademoiselle,* répondit-il tandis que la voiture luxueuse filait sur la corniche.

Yusuf ben Dacra était passé automatiquement de l'anglais au français au lieu de s'exprimer en arabe. Et il semblait le faire immanquablement quand il avait recours à une autre langue.

Mais la jeune fille n'y prêta pas attention.

Lisa s'arrêta par hasard au restaurant Bab. Elle était allée faire des courses en ville avec l'intention de rentrer déjeuner chez elle. Mais trop lasse pour partir à la recherche d'un taxi, un mal de tête lancinant lui rappelant sans cesse l'accident de l'avant veille, elle décida de faire une halte en cours de route.

Son père était en voyage d'affaires et Mme Raymond, la gouvernante, passait la journée chez sa sœur. La jeune fille préférait donc déjeuner au restaurant plutôt que d'être seule chez elle dans la grande salle à manger.

Elle connaissait le Bab de réputation seulement car il était habituellement au-dessus de ses moyens. De construction récente, le restaurant était néanmoins décoré de façon traditionnelle. Et Lisa, en s'asseyant à table, souhaita avoir suffisamment d'argent pour régler l'addition.

De belles arches mauresques partageaient l'immense salle en sections, elles-mêmes divisées en recoins charmants isolés les uns des autres par de grands palmiers plantés dans les jardinières de pierre ornementées.

La jeune fille dégusta un excellent repas. Et elle était en train de siroter un café bien sucré quand elle entendit des bruits de chaise qu'on déplaçait de l'autre côté d'un écran. On s'installait à la table voisine. Elle perçut la voix du garçon, puis celle de l'un des convives, un Anglais de toute évidence. Une autre personne prit alors la parole. C'était encore lui ; elle reconnut immédiatement son intonation grave et séduisante.

— Qu'est-ce que c'est que cette histoire d'hôtel à Zobi ? s'enquit soudain l'Anglais.

Lisa sursauta et tendit l'oreille. Le Marocain fit donc à l'intention du Britannique un bref résumé de la situation ; il construirait l'hôtel le plus grand et le plus luxueux de la côte marocaine.

— Je pars demain ou après-demain par bateau pour surveiller le début des travaux, termina-t-il d'un ton satisfait. J'en laisserai ensuite la responsabilité à Abdullah, mon gérant.

— Vous prenez votre yacht, j'imagine ? s'enquit l'Anglais avec une envie non dissimulée. Le *Djenoun,* n'est-ce pas ? C'est un bateau magnifique, Yusuf. Je donnerais gros pour en posséder un semblable !

— Il est superbe, en effet, acquiesça son interlocuteur. Mais un beau bateau est comme une belle femme ; c'est parfois difficile à manœuvrer. Je pourrais évidemment prendre la voiture pour me rendre à

Zobi ; ce serait plus rapide. Mais je préfère mon yacht, le trajet sera infiniment plus agréable.

Il semblait si calme, si sûr de lui, si convaincu que ni rien ni personne ne sauraient entraver ses projets que Lisa eut une envie folle de se lever, de contourner l'écran séparant les deux tables et de lui dire ce que lui réservait le groupe s'il persistait à mener son plan à terme. Mais elle se contenta de terminer son café et de faire signe au garçon qui lui apporta l'addition.

Quand elle se leva, ses jambes tremblaient. Impossible en effet de quitter le restaurant sans être remarquée du riche Marocain. Il l'aperçut aussitôt ; elle le vit à ses sourcils froncés.

Et quand Lisa, souhaitant sortir au plus vite, passa auprès de lui, Yusuf ben Dacra se leva et s'inclina légèrement.

— Mademoiselle, fit-il d'une voix polie. Vous vous êtes remise, je l'espère, de votre accident ?

L'autre convive s'était levé lui aussi et observait la jeune fille avec curiosité. Celle-ci porta instinctivement une main à son front.

— Oui, je me porte très bien, affirma-t-elle avec une grimace de douleur démentant son assertion. Je vous remercie, monsieur.

— Vous n'êtes pas tout à fait rétablie, à mon avis, si j'en juge à la bosse au-dessus de votre œil, dit-il. Cela doit certainement vous incommoder.

— J'ai un peu mal à la tête, sans plus, réponditelle d'une voix altérée. Vous êtes très aimable de vous inquiéter à mon sujet mais je me porte à merveille, je vous assure.

Lisa pouvait difficilement se montrer impolie dans les circonstances. De plus, l'intérêt indéniable que lui manifestait l'autre convive l'embarrassait au plus haut point. Ce dernier s'était raclé la gorge à plusieurs reprises afin d'attirer l'attention. Et la jeune fille mit un moment avant de se rendre compte que Yusuf ben Dacra ignorait son nom.

— Si vous voulez bien m'excusez, fit-elle d'une voix mal assurée, je dois prendre un taxi pour rentrer à la maison.

Cette phrase aurait dû normalement mettre fin à l'entretien mais l'Anglais — et cela devenait de plus en plus flagrant — tenait à connaître son identité.

— Nous sommes compatriotes, lança celui-ci avec un large sourire en lui tendant la main. Je suis originaire de Bradford, dans le nord. D'après votre accent, vous êtes du sud de l'Angleterre, n'est-ce pas.

Lisa acquiesça d'un signe de tête.

— Comme mon ami n'est pas prêt à faire les présentations, je me permets de les faire moi-même. Je m'appelle Sam Martin.

Lisa n'avait pas le choix. Elle prit sa main, à contrecœur toutefois, mécontente que Yusuf ben Dacra connût désormais son nom.

— Lisa Pelham, dit-elle. Je suis enchantée de faire votre connaissance, monsieur.

— Pelham ? répéta l'Anglais en fixant la jeune fille d'un regard interrogateur. Seriez-vous par hasard la fille de John Pelham ?

Elle opina de la tête, consciente de l'intérêt croissant de Yusuf à son égard.

— Oui, répondit-elle. Mon père est conseiller commercial auprès du gouvernement marocain.

— On me l'a dit, fit l'Anglais d'une voix tout à coup moins amicale. Il a eu de la chance ! Je l'ai connu avant son ascension vertigineuse.

— Monsieur Pelham occupe un poste très important, confirma Yusuf ben Dacra. Notre gouvernement le tient en très haute estime.

Un garçon venait vers eux. Lisa profita de l'occasion pour s'esquiver.

— Excusez-moi, lança-t-elle brièvement.

Sam Martin lui serra la main une dernière fois.

— J'espère avoir bientôt le plaisir de vous revoir, Miss Pelham, fit-il.

Il jeta alors un coup d'œil malicieux sur le Marocain.

— Peut-être assisterez-vous à la prochaine fête chez le cheik ? A moins que Yusuf veuille vous tenir à l'écart de son séduisant jeune frère ?

Jamais de la vie Lisa ne s'était sentie aussi embarrassée. Elle n'osait plus regarder Yusuf ben Dacra.

— Monsieur Martin, je dirai à mon père que nous avons fait connaissance. Messieurs, au revoir.

Sur ce, elle tourna les talons après avoir vu, du coin de l'œil, le Marocain s'incliner légèrement.

Rendue à la porte, elle entendit l'Anglais éclater d'un gros rire jovial. Quelle idée pouvait-il se faire des relations existant entre Yusuf ben Dacra et elle ? se demanda-t-elle avec dépit.

Lisa connaissait maintenant un moyen de transmettre le message du groupe au fils adoptif du cheik. La solution lui était venue en entendant Yusuf ben Dacra parler de son yacht ; mais elle ne savait pas encore très bien comment mettre son plan à exécution.

Le soir-même, la jeune fille dîna en compagnie de Geoffrey. Elle se mit à lui raconter sa mésaventure de l'avant-veille ; mais quand elle arriva au moment où Yusuf ben Dacra était entré en scène, son ami eut une réaction terrible.

— Mais pourquoi, bon sang, n'en ai-je rien su ? s'écria le jeune homme d'une voix possessive qui agaça Lisa.

— Je n'en voyais pas la nécessité, répondit-elle d'un ton délibérément désinvolte. J'ai eu un léger accident et Yusuf ben Dacra m'a ramenée chez moi. Rien de plus.

— Rien de plus ! s'exclama Geoffrey en levant les

yeux au ciel. Vous devriez faire plus attention avec ce vieux tacot, Lisa ; il est dangereux, voire mortel !

— Plus maintenant, soupira-t-elle. Sur le conseil de Yusuf, je suis allée consulter le meilleur mécanicien de Casa. D'après lui, ma pauvre Lizzie est bonne à mettre à la ferraille.

— Eh bien, tant mieux. Vous risquiez votre peau en la conduisant et je tremblais pour vous chaque fois que vous y montiez. Mais, dites-moi, comment ben Dacra a-t-il été mêlé à cette histoire ? Etes-vous entré en collision avec lui ?

— Non !

Lisa prit son temps pour choisir dans son assiette un morceau de poulet afin de ne pas rencontrer le regard du jeune homme.

— J'ignore comment il s'est trouvé là, poursuivit-elle. Il passait probablement en voiture et a dû voir les hommes me secourir. J'étais sans connaissance à ce moment-là. Les deux ouvriers, à son arrivée, se sont retirés et l'ont laissé prendre la situation en main.

— Oh, Lisa, ma chère enfant, quels risques vous courez !

Geoffrey avait près de trente ans. Lisa était de sept ans sa cadette. Mais elle avait horreur du ton paternaliste qu'il prenait immanquablement en sa présence et ne se gêna pas pour le lui dire.

— Je ne cours pas plus de risques que le commun des mortels, insista-t-elle avec fermeté. Et je ne suis pas votre chère enfant, Geoffrey ! Vous n'êtes pas assez âgé pour être mon père et cela vous donne un air pédant absolument exécrable !

— Je suis désolé.

La jeune fille, en voyant la mine contrite de son ami, regretta aussitôt de s'être emportée. Elle lui prit la main et lui dit avec gentillesse :

— C'est moi qui suis désolée, Geoffrey. J'ai été très méchante et vous ne le méritez pas.

Le jeune diplomate ne répondit pas immédiatement.

— Je le méritais peut-être, admit-il au bout d'un moment avec un pauvre sourire.

Puis il secoua la tête et changea rapidement de sujet.

— Vous n'avez pas tiré avantage de la situation, je présume, pour lui expliquer ce qui l'attendait s'il persistait dans l'idée de détruire Zobi.

Lisa fronça les sourcils.

— Pouvais-je agir autrement ? On peut difficilement accepter l'aide d'une personne et ensuite tenter de l'intimider, ne croyez-vous pas ? fit-elle, le nez dans son assiette de crainte de croiser le regard du jeune homme. De toute façon, il a paré le coup et m'a prévenue avant de reprendre la route ; si j'essayais de proférer la moindre menace, il arrêterait la voiture et m'abandonnerait à mon sort. Comme je n'avais pas oublié la façon dont il m'avait expulsée de la propriété de son père l'autre soir, je n'ai pas voulu courir ce risque. Je n'étais absolument pas en état de rentrer à Casa à pied.

— Grands dieux ! s'écria Geoffrey. Vous ne l'avez pas pris au sérieux, tout de même ?

— Il était sincère, faites-moi confiance ! répliqua Lisa sans hésiter.

— Il a la réputation d'être un homme intransigeant, admit Geoffrey, mais je le vois mal faire un geste aussi grossier !

— Pourtant, il a bien réussi à me convaincre ! insista Lisa, même si elle avait du mal à oublier que le Marocain était venu à son secours au lieu de continuer son chemin. Pour tout vous dire, je ne comprends rien à cet homme.

— A propos, remarqua le diplomate d'un ton

désinvolte, j'ai appris certains détails à son sujet. Son père était Français, mais ben Dacra, né au Maroc est de nationalité marocaine.

Lisa était intéressée. Elle repoussa son assiette vide et se croisa les bras.

— Je ne l'aurais pas cru, murmura-t-elle d'un ton rêveur, se rappelant les yeux noirs veloutés, la peau mate sous la chemise claire. Est-il...

Elle s'interrompit, ne sachant comment formuler sa question. Geoffrey haussa les épaules.

— Non, rien de louche, répliqua-t-il. En fait, il porte un nom français arabisé. Son père s'appelait en réalité Joseph d'Acra.

Le jeune homme remarqua soudain le regard songeur de son amie et fronça les sourcils.

— Lisa, que se passe-t-il encore dans votre charmante petite tête ?

— J'ai trouvé la solution. Je sais comment l'atteindre, comment lui signifier notre ultimatum. A condition, toutefois, d'en avoir l'audace !

Son camarade l'observait toujours d'un air méfiant.

— Il possède un yacht. Le saviez-vous ? demanda-t-elle. C'est un bateau magnifique, paraît-il... le *Djenoun*. Etiez-vous au courant ?

— Oui, je le savais, fit le jeune homme, mal à l'aise tout à coup car il était un peu perdu. Je ne vois pas le rapport...

— Vous ne le voyez pas ? s'enquit-elle, le cœur battant.

Plus elle réfléchissait à son stratagème, plus elle le trouvait génial.

— Où est-il amarré ? continua-t-elle, faisant mine de ne pas avoir remarqué l'air soucieux de son camarade. Dans le port de Casa ?

Geoffrey, cependant, ne semblait pas partager l'enthousiasme de la jeune fille.

— Oui, à Casa. Mais où voulez-vous en venir exactement, Lisa ? Pourquoi le yacht de ben Dacra vous intéresse-t-il à ce point ?

Lisa éclata d'un rire nerveux mais ses yeux brillaient de joie.

— Parce que je vais m'y introduire clandestinement, lança-t-elle. J'y songe depuis des heures et je suis persuadée d'y parvenir.

— Bonté divine ! s'exclama Geoffrey, les yeux écarquillés.

— Pourquoi pas ? demanda Lisa, vexée que son ami ne fût pas plus ravi. Je vais le surprendre avant son départ et le *forcerai* à m'écouter. Je lui dirai alors ce qui l'attend s'il persiste à démolir Zobi... avant qu'il ne lève l'ancre pour entreprendre les travaux.

— Pour l'amour du ciel, Lisa ! s'écria Geoffrey avec angoisse. Vous n'y pensez pas ! Vous n'allez pas monter sur le yacht de cet homme ! Chez le cheik Abahn, passe encore... la maison était pleine de monde ! Et s'il n'y avait que lui à bord ? Ou des hommes d'équipage brutaux ? Bonté divine ! Il pourrait vous arriver n'importe quoi ! Non, ma chère, il n'en est absolument pas question... je vous l'interdis !

Lisa feignit d'ignorer son ton autoritaire et son regard anxieux. Elle avait pris sa décision et rien n'aurait su la faire changer d'idée. Les mains croisées devant elle, la jeune fille se demandait en son for intérieur comment elle se faufilerait sur le *Djenoun* sans être vue.

— Il appareille demain ou après-demain, prononça-t-elle à voix haute.

— Non, Lisa ! hurla Geoffrey en saisissant les mains de la jeune fille. Je devrais...

— Vous ne devriez rien du tout ! l'interrompit son amie avec impatience. Soyez prêt avec les autres membres du groupe au cas où il refuserait de se plier à nos conditions... ce qui ne m'étonnerait guère, ajouta-t-elle.

— Oh, Lisa !

La jeune fille ne pouvait s'empêcher d'avoir pitié de son camarade mais sa décision était prise. C'était la meilleure façon d'aborder Yusuf ben Dacra et elle tenterait sa chance. De plus, elle avait secrètement envie de voir ce fameux yacht.

Elle prit les mains de Geoffrey dans les siennes et se mit à lui parler avec calme et assurance, malgré son cœur qui battait à tout rompre dans sa poitrine.

— C'est l'enfance de l'art, Geoffrey. Je me faufile sur le yacht, puis j'attends le moment opportun pour sortir de ma cachette. Je lui dévoile alors nos plans pour l'empêcher de démolir Zobi et ensuite je descends à terre.

— Lisa, Lisa, à vous entendre, cela semble si simple...

— Ce sera difficile, je le sais, mais pas impossible. Et je vais tenter ma chance.

Geoffrey secoua la tête. Et Lisa lut dans le regard du jeune homme une lueur qui fit affluer le sang à ses joues, une lueur qui la troublait sans qu'elle comprît pourquoi.

— Comme je voudrais avoir le droit d'être plus ferme avec vous, fit-il en pressant les mains de son amie. Votre entêtement n'a d'égal que votre beauté, ma chère, et c'est un mariage bien dangereux.

Il pencha la tête et effleura de ses lèvres les ongles rosés de Lisa.

— Soyez prudente, je vous en supplie, l'implora-t-il.

— Mais bien sûr !

Lisa perçut soudain dans les yeux de son camarade quelque chose qui fit bondir son cœur d'une façon alarmante. Elle aimait bien Geoffrey mais n'était pas amoureuse de lui. Et elle souhaitait que ce sentiment fût réciproque. Elle sentait, d'après l'expression qu'elle venait de surprendre dans le regard du jeune homme, qu'il serait facile de le blesser ; et elle n'en avait pas la moindre envie. Elle dégagea ses mains et lui adressa un sourire confiant.

— Ne vous inquiétez pas, Geoffrey ! lança-t-elle.

Mais son rire était mal assuré, sa voix vacillante.

— Après tout, qu'est-ce que je risque ? De me retrouver toute penaude à terre ? Et alors ?

Geoffrey secouait lentement la tête. Ses yeux gris étaient empreints de tristesse et d'appréhension. Lisa évita son regard.

— C'est bien ce qui me préoccupe le plus, fit le jeune homme.

3

Lisa n'était pas nerveuse de nature mais à l'idée d'avoir à affronter encore une fois Yusuf ben Dacra, elle était littéralement paniquée. Elle avait trouvé le *Djenoun* sans difficulté et si elle était montée à bord avec autant de facilité, c'était un pur hasard.

Quand elle était arrivée dans le port de Casablanca, il n'y avait là qu'un seul homme d'équipage à bord du yatch. Elle surveilla le bateau pendant une dizaine de minutes pour s'assurer qu'il n'y avait personne d'autre et profita d'un moment d'inattention du matelot pour embarquer.

La jeune fille se faufila sur la pointe des pieds en retenant son souffle et chercha un endroit propice pour attendre en catimini l'arrivée de l'homme.

Elle ouvrit quelques portes. Les petites cabines n'offraient pas de cachette possible ; mais un grand salon situé au milieu du bateau convenait parfaitement. C'était une pièce dont le décor luxueux rappelait quelque palais des mille et une nuits.

Le tapis rouge vin bordé de motifs floraux s'harmonisait avec le mobilier de bois sombre. Le jour transparaissait au travers d'arches mauresques d'une délicatesse exquise. De longs divans et des fauteuils tapissés de tissus aux couleurs vives formaient un contraste agréable avec les murs blancs. Derrière un paravent ornementé et des palmiers en pots, Lisa découvrit un coin bureau comportant un secrétaire ancien et sa chaise et jugea l'endroit idéal pour se cacher.

Elle décida donc d'y attendre patiemment le maître de céans.

La jeune fille était tendue ; la nervosité, l'émotion la faisaient frissonner. Et au bout de quelques minutes, elle se rendit compte qu'elle n'était pas faite pour ce genre d'activité. Les intrigues ne lui convenaient décidément pas. Il était maintenant trop tard pour reculer, mais si elle en avait eu la possibilité, elle aurait renoncé à ce projet et aurait laissé les membres plus politisés du groupe s'en charger.

Elle entendit tout à coup des murmures puis des rires accompagnés de bruits de pas dans le couloir. Comme elle s'armait de courage pour faire face aux arrivants, le silence se fit de nouveau et elle poussa un long soupir de soulagement.

Quinze ou vingt minutes plus tard, Lisa perçut une autre voix et son cœur bondit dans sa poitrine. Encore quelques secondes et la porte s'ouvrit pour se refermer aussitôt. Quelqu'un traversait le salon d'un pas vif et s'approchait du paravent. Même si elle avait attendu cet instant avec impatience, la jeune fille aurait voulu se lever et s'enfuir à toute vitesse.

C'était Yusuf ben Dacra. Elle l'avait reconnu tout à l'heure à son intonation. Et maintenant le parfum de son eau de Cologne coûteuse chatouillait agréablement ses narines. Le cœur de Lisa se mit à battre la chamade. Elle se sentait les jambes si faibles que jamais elle n'aurait pu faire un mouvement, sa vie dût-elle en dépendre. Elle souhaita alors avec ferveur avoir suivi le conseil de Geoffrey et être sagement restée chez elle.

Fut-ce un mouvement inconscient de sa part qui la trahit ou l'instinct de conservation qui avertit Yusuf ben Dacra du danger ? Toujours est-il que le paravent se replia soudain avec un claquement sec et une main saisit fermement le bras gauche de la jeune fille. Elle se retrouva si rapidement sur ses pieds qu'elle serait tombée à coup sûr si elle n'avait été retenue par une poigne ferme.

— *Mon dieu !*

Pendant un instant, Yusuf ben Dacra observa Lisa avec stupéfaction, n'en croyant pas ses yeux. Celle-ci, en apercevant le Marocain vêtu d'un pantalon gris et d'une chemise claire bien moulante fut parcourue d'un long frisson incontrôlable.

— Vous avez donc réussi encore une fois à vous introduire chez moi sans y avoir été invitée, Miss Pelham ! s'exclama-t-il avec arrogance.

Il se tut un moment et relâcha sa victime pour allumer une cigarette.

— N'avez-vous donc aucun respect pour la vie privée des gens ?

Lisa frottait son bras endolori, malheureuse de n'être jamais qu'une gêneuse aux yeux de l'homme. Ce dernier la regardait d'un œil dur, sévère, alors que la plupart des hommes de sa connaissance étaient aux petits soins pour elle et rêvaient de lui plaire.

— Je voulais absolument vous voir, c'était essentiel, lui dit-elle, irritée de ne pouvoir maîtriser le tremblement de sa voix. J'ai tenté de le faire par tous les moyens sans réussir.

— Vous avez donc choisi de faire intrusion chez moi et de troubler mon intimité !

— Auriez-vous accepté de me recevoir si je vous avais demandé un rendez-vous ? le défia-t-elle. Vous auriez refusé et vous le savez fort bien ! J'ai déjà essayé !

— Vous avez appris ma présence ici aujourd'hui en surprenant ma conversation au restaurant, fit le

Marocain d'un ton de reproche. Dites-moi, Miss, est-ce dans vos habitudes d'espionner les gens ?

Lisa rougit de confusion. Yusuf ben Dacra avait raison mais son mépris était dur à accepter. Elle tenta aussitôt de se justifier, sans savoir pourquoi, sans comprendre pour quelle raison elle se sentait tout à coup si coupable.

— Vous ne pouvez deviner à quel point c'est important, expliqua-t-elle. Je ne me conduis pas ainsi en temps normal ; mais dans ce cas-ci... c'est vrai, j'ai surpris votre conversation et j'en ai tiré profit parce qu'il n'existait pas d'autre solution.

Les yeux noirs du Marocain fixaient la jeune fille d'un regard perçant, le regard du chat prêt à bondir sur sa proie.

— Je me demande, Miss, dit-il d'une voix dangereusement calme, si votre père est au courant de vos activités. Dans sa position...

Un lourd silence plana. Lisa se rappela l'intérêt manifesté par Yusuf quand il avait appris qui était son père. Et pour la première fois, elle comprit la portée de son geste ; ses activités au sein du groupe risquaient de nuire à John Pelham. Le conseiller commercial était tenu en haute estime par le gouvernement marocain mais un mot de Yusuf ben Dacra, homme très influent, pouvait briser sa carrière à jamais. Sa phrase inachevée le laissait carrément entendre.

— Mon père ignore tout de mes activités, dit-elle avec une telle sincérité qu'il était impossible de ne pas la croire.

Le Marocain ne répondit pas immédiatement.

— Je l'admets, fit-il au bout d'un moment. Je connais John Pelham ; c'est un gentleman. Et un homme honnête et intelligent comme lui ne saurait approuver un tel comportement chez sa fille s'il était au courant.

— Il ignore même mon appartenance au groupe, s'empressa d'expliquer Lisa. Il n'a sûrement jamais entendu parler de Balek ; j'en suis convaincue.

— Balek ! répéta Yusuf ben Dacra d'un ton moqueur qui mit la jeune fille au supplice. Ce n'est que cela ? C'est donc uniquement pour attirer l'attention sur votre petite personne que vous vous êtes introduite en fraude chez mon père puis à bord du *Djenoun ?* Tenez-vous donc tant à ce que l'on s'occupe de vous, *mademoiselle,* pour recourir à des moyens aussi infantiles ?

— Jamais de la vie !

— Jamais de la vie ! l'imita-t-il.

Lisa devint rouge de colère.

— Vous n'avez pas besoin de vous conduire ainsi, Miss, j'en suis persuadé. Vous êtes sans aucun doute entourée d'une cour d'admirateurs et j'ai du mal à comprendre la raison d'une telle témérité. J'ai également du mal à comprendre pourquoi vous tenez tant à attirer mon attention sans savoir si oui ou non cela me convient de tenir compte de votre présence.

Ce n'était plus seulement la colère qui faisait affluer le sang aux joues de la jeune fille, qui faisait battre son pouls à une cadence folle. Yusuf ben Dacra reconnaissait, comme la plupart des hommes, qu'elle était loin d'être quelconque ; mais contrairement à tous les autres, il lui laissait entendre clairement que sa beauté ne l'impressionnait pas.

— Je vous en prie, monsieur, il faut me croire ! dit-elle en tentant de contenir les modulations de sa voix. Je suis ici pour une tout autre raison, pour une raison beaucoup plus... beaucoup plus importante.

Lisa avait enfin réussi à éveiller la curiosité du Marocain, elle le sentait. Mais comme il était loin d'être patient, elle avait intérêt à lui expliquer au plus vite le motif de sa présence sur le yacht. Sinon, il ne se gênerait pas pour la faire renvoyer à terre par ses hommes d'équipage. Après tout, elle avait eu assez de mal à le rencontrer, ce n'était plus le moment d'abandonner la partie.

Un événement, cependant, lui fit oublier provisoirement le groupe et l'avertissement qu'elle était si résolue à délivrer. La jeune fille dévisagea le Marocain l'espace d'un instant, refusant tout d'abord de se rendre à l'évidence. Tandis qu'elle discutait avec Yusuf ben Dacra, les hommes d'équipage avaient entrepris leur travail de routine, ignorant la présence d'une passagère à bord.

— Nous partons ! s'écria-t-elle d'un ton accusateur dans un brusque élan de panique. Le bateau s'en va ! Arrêtez-le ! Dites-leur de revenir !

Yusuf ben Dacra aspira lentement une bouffée de cigarette.

— Mais oui, Miss, nous partons. J'ai donné l'ordre d'appareiller dès que je monterais à bord et mes hommes ont suivi mes instructions à la lettre.

Lisa regarda par la fenêtre. Le *Djenoun* sortait en effet du port de Casablanca. Elle sentait sous ses pieds la trépidation des moteurs.

Elle avait été prise à son propre piège.

— Je ne croyais pas que vous partiriez si tôt ! Le Marocain avait sûrement remarqué le léger tremblement de sa voix car dans ses yeux brilla une lueur de satisfaction.

— Je ne m'attendais pas à vous trouver à bord, *mademoiselle*, fit-il. Et vous ne vous attendiez tout de même pas à ce que je retarde mon départ parce que vous étiez en train de discourir sur quelque mystérieux sujet auquel je n'ai encore rien compris !

Aussi étrange que cela pût paraître, Lisa, malgré son désarroi, ne ressentait aucune crainte. N'avait-elle pas réussi à rencontrer Yusuf ben Dacra ?

— Peu importe, répliqua-t-elle, bien décidée à tirer parti de la situation.

Un regard vers le Marocain lui fit comprendre néanmoins qu'elle se montrait un peu trop optimiste.

— Vous êtes une passagère clandestine, l'informa Yusuf ben Dacra d'un ton sérieux. J'ai donc le droit de vous mettre aux fers si je le désire, Miss. Ne soyez pas trop sûre de vous... je serais dans la légalité, croyez-moi !

Lisa le regardait avec une assurance qu'elle était loin d'éprouver.

— Vous êtes en route pour Zobi, n'est-ce pas ?

— Vous l'avez en effet appris en surprenant ma conversation l'autre jour, lui rappela-t-il. Toutefois, je n'ai pas l'intention de vous donner davantage de détails.

— Parce que vous avez honte de ce que vous projettez de faire ?

Yusuf ben Dacra avait du mal à ne pas laisser éclater sa colère.

— Je n'ai pas à avoir honte de quoi que ce soit, l'informa-t-il sèchement. Je vous le répète, Miss, mes projets ne vous concernent en rien.

— Ils me concernent, au contraire, si vous insistez pour démolir Zobi afin de construire votre horrible hôtel ! déclara Lisa d'une voix haletante.

C'était l'occasion ou jamais de parler, songea-t-elle.

— Vos projets pour Zobi sont impitoyables, inhumains !

Et emportée par son enthousiasme, pleine de courage soudain, elle poursuivit :

— Le monde entier devrait être au courant de ce que vous comptez faire à ce village !

Yusuf ben Dacra était si maître de lui, alors qu'elle n'arrivait pas à contenir ses émotions ! La jeune fille était bien près de le détester.

— La terre entière est en effet au courant, j'ai tout lieu de le croire, remarqua-t-il d'un ton glacial. Mais je doute fort que mon projet ait suscité ailleurs autant d'émotion. De plus, continua Yusuf comme Lisa allait reprendre sa longue tirade, je tiens à vous faire remarquer que cela risque de mal se terminer pour vous si vous continuez ainsi, Miss Pelham.

La jeune fille tremblait comme une feuille. La colère, cependant, n'en était pas la seule cause. C'était incroyablement palpitant de se mesurer avec cet homme, même si cela s'avérait dangereux par la suite.

— Vous ne m'effrayez pas, monsieur, affirma-t-elle. J'appartiens à un groupe qui se préoccupe davantage du bien-être de l'humanité que des richesses personnelles. Et nous sommes décidés à vous empêcher de détruire Zobi ! Si vous démolissez ce village afin de construire votre hôtel de luxe, vous pouvez vous attendre à avoir des ennuis ! Nous ne tolérerons pas un tel saccage !

— Vous osez me menacer ?

— *Nous* osons vous menacer, monsieur, parce que c'est important, nous en sommes convaincus !

— Vous n'êtes qu'une bande de petits écervelés ! Vous n'êtes absolument pas au courant des faits !

Lisa frissonna involontairement sous le regard chargé de colère.

— Quant à vous, Miss, poursuivit-il, vous êtes insolente et emportée ! Je ne veux plus entendre vos menaces insensées ! Si je m'écoutais, je vous mettrais aux fer sur-le-champ !

— Je vous mets au défi de le faire ! lança-t-elle tout en sachant que Yusuf ben Dacra ne s'embarrasserait pas de scrupules s'il se savait dans son droit. S'il m'arrive quoi que ce soit...

Elle s'interrompit en apercevant dans les yeux du Marocain un profond mépris.

— Je n'irai pas jusque là, promit-il. Mais je ne tiens pas non plus à voir mon intimité troublée sans arrêt par des jeunes filles un peu fofolles qui n'ont rien de mieux à faire que de proférer des menaces incongrues. Suivez mon conseil, Miss : à l'avenir, trouvez-vous des divertissements plus intelligents. Ayez un amoureux, par exemple ; il vous aidera peut-être à comprendre que les femmes peuvent faire autre chose que de crier des slogans !

— Comment...

— Cela vous déplaît ? l'interrompit-il avec impatience tout en détaillant les formes exquises de la jeune fille avec un tel intérêt qu'elle devint cramoisie. Vous n'aurez pas de difficulté à vous en trouver un, j'en suis convaincu. Néanmoins, si vous êtes venue en pensant user de vos charmes incontestables pour tenter de me faire changer d'idée, détrompez-vous ! Comme je suis déjà prévenu, vous aurez du mal à me persuader !

Lisa fut stupéfaite ; elle ne s'attendait absolument pas à une offensive semblable de la part du Marocain. Celui-ci s'était d'ailleurs sûrement aperçu de son ébahissement car une immense satisfaction se lisait dans ses yeux.

— Loin de moi cette pensée ! insista-t-elle d'une voix rauque. Je vous le jure !

Yusuf ben Dacra haussa les épaules et jeta un coup d'œil à sa montre.

— Je n'ai plus de temps à perdre, Miss. J'ai des affaires plus urgentes à régler.

— Vous ferez donc demi-tour pour me laisser descendre ?

Jusque-là, Lisa avait été convaincue que le Marocain donnerait des ordres pour retourner à Casablanca. En levant les yeux vers lui, toutefois, elle comprit s'être trompée et sentit son cœur battre plus vite.

— Je n'ai pas l'intention de faire demi-tour, Miss, simplement pour vous rendre service. Vous avez choisi de monter à bord de mon yacht sans y avoir été invitée ? Eh bien, vous en débarquerez quand *moi* j'aurai décidé de vous laisser débarquer.

— Mais vous ne pouvez me retenir ici !

Yusuf ben Dacra était déjà rendu à la porte. Il se retourna lentement pour observer la jeune fille d'un regard impénétrable, mais ses traits demeuraient sévères, inexorables. Lisa n'avait plus espoir de le persuader.

— Je le puis, au contraire, fit-il. Non pas contre votre gré car vous êtes venue ici volontairement et à la dérobée, par-dessus le marché. Vous tenterez, je m'en doute, de vous enfuir de la même façon, mais je ne vous conseille pas d'essayer de regagner Casablanca à la nage.

— Dans ce cas... que ferez-vous de moi ?

— Puisque vous avez choisi de m'imposer votre présence, dit-il, peut-être finirez-vous par m'être utile, après tout. Mon cuisinier s'est malheureusement cassé un bras et n'a pu faire partie du voyage. Donc, si vous préférez la cuisine au pont ou à une longue randonnée à la nage jusqu'à Casablanca, vous pouvez le remplacer.

Lisa fixa le Marocain d'un air stupéfait.

— Vous vous attendez à ce que...

— J'ai l'intention d'utiliser vos services, un point c'est tout, l'interrompit-il d'un ton sec. Je reviendrai tout à l'heure pour connaître votre réponse ; en attendant, j'ai mieux à faire.

Il tourna les talons, sortit et referma la porte derrière lui. Lisa le regarda partir d'un air ahuri. Les rôles étaient renversés ; sa chance avait tourné, elle venait de s'en rendre compte. Elle se mit à frapper avec fureur sur les gros coussins brodés du divan sur lequel elle était assise. Elle aurait beau essayer, elle n'avait aucune chance de s'échapper du yacht tant qu'il était en mer. Elle finit par se calmer et se pelotonna dans les coussins.

Combien de temps passa-t-elle à regarder tristement la mer par la fenêtre ? Elle ne le sut pas. A un certain moment, elle s'aperçut que le vrombissement des moteurs s'était modifié. Et soudain, le cœur battant, elle se redressa et tendit l'oreille. Elle n'entendait plus rien. Le *Djenoun* s'était immobilisé.

La jeune fille courut à la porte et jeta un coup d'œil à l'extérieur. L'escalier menait directement au pont. Si la passerelle était jetée, elle aurait peut-être la chance de se sauver.

On marcha au-dessus. Lisa retourna se réfugier dans le salon. Elle courait un risque en montant là-haut et tenta de trouver une autre solution. La cuisine, elle s'en souvenait, était située de l'autre côté du couloir, autrement dit plus près de la rive. Elle ouvrit donc avec précaution la porte de cette pièce et laissa échapper un soupir de soulagement ; la cuisine était vide.

Une fenêtre attira son regard. La jeune fille grimpa lestement sur la paillasse, fit basculer le carreau et sortit sans peine.

La chance lui souriait. La passerelle n'était qu'à quelques mètres et il n'y avait personne en vue. Retenant son souffle, les dents serrées, elle s'y dirigea à la hâte. Puis, toujours accroupie, elle la parcourut et se retrouva bientôt sur un quai encombré de cageots et de ballots de peaux qui offraient un refuge idéal.

Les marins étaient occupés à hisser une pelle mécanique sur le pont du yacht en veillant à ne pas abîmer les bordages. Cette occupation exigeant toute leur attention, la jeune fille put se glisser, inaperçue, entre deux rangées de cageots. Le port ne devait pas être très éloigné de Casablanca ; elle décida de partir à la recherche d'un téléphone.

Elle sortit donc de sa cachette pour explorer les environs. Toutefois, les seuls immeubles de l'endroit consistaient en entrepôts et en hangars plutôt délabrés, bâtis parmi un dédale de ruelles étroites. Pas une seule femme en vue, mais des hommes au teint basané qui la dévisageaient avec curiosité et faisaient des commentaires d'une voix gutturale.

Lisa se sentit soudain très seule au milieu de tous ces ouvriers. Et surtout très vulnérable avec ses cheveux blonds, son visage clair, son pantalon blanc étroit, son chemisier bleu pâle.

A mesure qu'elle avançait, elle se rendait compte que toutes les bâtisses n'abritaient que des marchandises. Ce n'était donc pas un village ou une petite ville comme elle l'avait cru à prime abord, mais un port retiré exclusivement réservé au commerce. Et désespérée, la jeune fille finit par se rendre à l'évidence : elle était complètement perdue.

La ruelle qu'elle venait d'emprunter était un cul-de-sac bloqué à l'extrémité par un énorme hangar en pierres dont les portes béantes laissaient échapper des ballots de vieux chiffons. Une odeur infecte de poisson pourri et de peaux vertes empestait l'air, des nuages de mouches bourdonnaient ; Lisa eut une nausée et porta aussitôt une main à sa bouche, puis elle se retourna pour faire demi-tour.

Mais elle s'immobilisa soudain, le cœur battant à tout rompre. Un homme venait à sa rencontre dans la ruelle déserte. Il portait la *djellaba* traditionnelle dont il avait rabattu le capuchon sur sa tête.

Lisa, en apercevant cet inconnu à la démarche rapide, assurée, fut saisie d'une peur irraisonnée et son premier réflexe fut de prendre ses jambes à son cou. Elle vit alors entre deux bâtisses une étroite ouverture et s'y engouffra sans savoir où elle se dirigeait.

Mais l'inconnu la suivait toujours. Lisa courait de plus belle.

Haletante, affolée, elle s'aperçut qu'elle s'était de nouveau engagée dans une impasse. Elle s'arrêta, tremblante de peur, la sueur perlant à son front. L'homme était tout près maintenant. La jeune fille se précipita par une porte entrouverte dans un entrepôt pour y chercher refuge ; mais des monceaux de cageots l'empêchèrent d'y pénétrer.

— Oh, non ! gémit-elle d'une voix rauque.

Les pas s'approchaient. Tout à coup, comme elle se retournait, sur la défensive, une main jaillit des plis de la *djellaba* et saisit son bras.

Lisa se mit à se débattre, effrayée par les yeux sombres, la bouche impitoyable sous le capuchon, par les longues mains mates qui tentaient de la maîtriser. Elle essaya de donner des coups mais l'inconnu lâcha son bras pour lui prendre les mains avec une telle force qu'elle en fut ahurie.

— Cela suffit ! fit-il d'une voix douce, irrésistible.

Lisa, stupéfaite, leva les yeux vers Yusuf ben Dacra.

— Pourquoi êtes-vous si affolée ? Que vous est-il arrivé ? s'enquit ce dernier.

Lisa secoua lentement la tête. Elle avait d'abord été presque soulagée en le reconnaissant. Cette première impression, néanmoins, faisait maintenant place à la colère.

— J'étais quasi morte de peur ! l'accusa-t-elle d'une voix tremblante. Je croyais que vous étiez...

Elle se tut brusquement, décontenancée par les yeux pensifs du Marocain. Sous son capuchon blanc, ses traits, d'une sensualité inouïe, étaient beaucoup trop troublants dans les circonstances, songea-t-elle, en détournant rapidement le regard.

— Vous aviez peur de moi ? demanda-t-il, apparemment ravi.

— Comment aurais-je pu vous reconnaître là-dessous ? répliqua-t-elle en pointant du doigt la *djellaba*. Vous n'en avez jamais porté auparavant !

— Si, rétorqua Yusuf, mais pas en votre présence.

Il se tut et, les mains sur les hanches, observa Lisa pendant un moment.

— Vous êtes consciente désormais, du danger pour une jeune fille de déambuler seule dans un endroit semblable, poursuivit-il. Je ne veux pas vous obliger à réintégrer le *Djenoun, mademoiselle*, mais je serai contraint d'utiliser la force si vous refusez de me suivre.

Lisa était prise entre deux feux. Ou bien elle restait dans ce port qui lui offrait peu de possibilités de regagner Casablanca ou bien elle retournait sur le *Djenoun* avec Yusuf ben Dacra pour y faire la cuisine. Là, au moins, elle serait en sécurité. Elle refusait, toutefois, de céder sans protester.

— Vous ne pouvez me forcer à vous suivre ! lança-t-elle en levant le menton d'un air de défi.

— Croyez-vous sincèrement que je pourrais vous abandonner ici, vêtue comme vous l'êtes ? répliqua le Marocain. Allons, venez ! ordonna-t-il en passant fermement son bras sous celui de la jeune fille.

Lisa venait de subir une amère défaite. Et tandis qu'ils reprenaient le chemin du *Djenoun*, elle eut l'impression d'être une fugitive qu'on venait de capturer. Tous se retournaient sur leur passage.

Elle aurait bien crié à l'aide mais c'eût été inutile, elle le sentait. Yusuf ben Dacra était connu de ces hommes alors qu'elle était une étrangère, une Européenne. Et quand elle franchit la passerelle, elle faillit pleurer de frustration et garda les yeux baissés sous les regards curieux de l'équipage.

Le Marocain relâcha son étreinte et lui fit signe de descendre l'escalier.

— Vous le regretterez ! l'avertit la jeune fille dans un dernier sursaut de bravade.

Yusuf ben Dacra fronça les sourcils avec impatience.

— Encore des menaces, Miss ? Est-ce là votre seule mode d'expression ? N'avez-vous jamais des réactions plus féminines ?

Ils avaient pénétré dans le salon. Le Marocain fit asseoir Lisa de force sur un divan ; puis, remarquant ses joues cramoisies, son front moite, il déclara d'une voix radoucie :

— Je vais demander qu'on vous apporte une boisson fraîche. Vous semblez avoir très chaud.

— Je ne veux rien, je vous remercie !

Yusuf ne répondit pas. Néanmoins, dans son regard, transparaissait un tel mépris que Lisa, confuse, baissa les yeux.

— Vous avez des réparties bien puériles ! C'est stupide de votre part, mademoiselle, mais si vous le voulez ainsi...

Il était près de sortir quand il ajouta :

— Vous demeurerez dans cette pièce jusqu'à ce que nous ayons quitté le port. Vous pourrez ensuite aller où bon vous semble sur le yacht à condition de ne pas importuner mes hommes.

Lisa se sentit soudain bien seule, bien malheureuse. Faisant fi de son orgueil, elle rappela le Marocain au moment où il allait franchir la porte.

— Monsieur !

Celui-ci se retourna. Il avait trop de savoir-vivre pour feindre d'ignorer cette prière.

— Je vous prie de m'excuser... j'aimerais bien avoir quelque chose à boire, s'il vous plaît, l'implora-t-elle.

— Avez-vous une préférence ?

Lisa secoua la tête.

— Non. Non, n'importe quoi, je vous remercie.

Le Marocain inclina légèrement la tête.

— Je m'en occupe immédiatement, fit-il en refermant la porte derrière lui.

Rêvait-elle, se demanda Lisa. Il ne lui serait pas facile de s'échapper de ce yacht et pourtant, elle ne se résolvait pas à y renoncer.

Elle avait transmis le message du groupe et pouvait difficilement faire davantage en ce sens. Cependant, la jeune fille sentait le besoin de fuir au plus vite Yusuf ben Dacra. Il lui fallait se rendre à l'évidence : le Marocain était beaucoup trop séduisant et elle ne faisait pas preuve de prudence en le côtoyant ainsi. Il avait en effet une si piètre opinion d'elle que la jeune fille ne pouvait nourrir aucun espoir de ce côté.

Lisa se sentait mieux et éprouvait même une agréable sensation de fraîcheur.

Néanmoins, nerveuse et tourmentée, elle parcourait le salon de long en large, se demandant comment elle se tirerait de ce mauvais pas. Désormais chacun de ses gestes serait surveillé de près. Combien de temps Yusuf ben Dacra comptait-il la garder à bord ?

Si la jeune fille n'était pas rentrée chez elle au matin, Mme Raymond, la gouvernante, s'inquiéterait et avertirait Geoffrey. Le jeune homme devinerait aussitôt que son amie était retenue prisonnière à bord du *Djenoun* et alerterait M. Pelham. Et Lisa ne voulait absolument pas mettre son père au courant.

Une pensée la rassurait toutefois, jamais Yusuf ben Dacra ne la garderait pour la nuit sur son yacht.

Elle était agenouillée sur un divan et regardait par la fenêtre le ciel sans nuage quand la porte s'ouvrit pour laisser entrer Yusuf. Lisa, ne voulant rien montrer de sa nervosité, lança avec aplomb :

— Alors, quand rentrerai-je à la maison ?

Le Marocain avait quitté sa *djellaba* et paraissait moins impressionnant dans ses vêtements européens.

Un peu moins seulement, reprit la jeune fille en son for intérieur.

— Auriez-vous l'obligeance de me suivre, Miss ?

C'était un ordre plus qu'une prière ; Lisa redressa automatiquement la tête dans un geste de protestation et resta assise.

— Où ? s'enquit-elle.

— Tout d'abord à la cabine qui vous a été assignée puis à la cuisine où vous remplacerez Hassan.

— Je n'ai pas l'intention de jouer à la cuisinière, dit-elle. J'exige qu'on me laisse débarquer !

— Vous *exigez ?* fit-il d'une voix sourde.

Il s'approcha de la jeune fille et celle-ci fut parcourue d'un long frisson d'appréhension.

— Vous êtes bien mal placée pour exiger quoi que ce soit, Miss. Voici donc ce que je vous propose : soit vous aidez à la cuisine, soit je vous enferme à clef dans votre cabine. A vous de choisir.

— Vous n'avez pas le droit... commença Lisa.

— J'ai au contraire tous les droits de vous enfermer, *mademoiselle,* la renseigna-t-il avec une assurance glaciale. Vous êtes montée clandestinement à bord de mon bateau, vous m'avez menacé de représailles si je ne me pliais pas à vos exigences au sujet d'un projet en vue d'améliorer le bien-être de mes concitoyens. J'ai le droit de vous traiter comme une criminelle et de vous livrer à la justice dès que nous mettrons pied à terre. Ne me parlez pas de mes droits, *mademoiselle,* je les connais fort bien. Et les autorités se montreront beaucoup moins clémentes que moi... vous vous en rendrez vite compte si vous continuez ainsi !

Lisa se mit à réfléchir. Qu'arriverait-il s'il la remettait aux mains de la police ? Elle imagina aussitôt la réaction de son père, son embarras en apprenant l'arrestation de sa fille. Cependant, elle ne pouvait se résoudre à abandonner le groupe. Il lui faudrait maintenant au contraire agir avec plus de circonspection.

— Comment savez-vous si je puis cuisiner ou non ? s'enquit-elle.

— Si vous en êtes incapable, répondit-il en riant, cela ne m'étonnerait pas outre mesure puisque vous manquez singulièrement des qualités qu'on attribue généralement aux femmes.

Lisa rougit de colère et quitta son siège. Jamais auparavant un homme ne s'était montré aussi insensible à ses charmes ! C'était pour elle un défi de taille mais elle ne s'aperçut pas néanmoins du danger d'une telle situation.

— On ne s'est jamais plaint de mon manque de féminité, l'informa-t-elle. Vous n'êtes pas très bon juge, monsieur !

Yusuf l'examina lentement des pieds à la tête, détaillant chaque courbe de son corps svelte. Et Lisa, sous ce regard insistant, eut l'impression qu'on la déshabillait.

— Evidemment, il ne fait aucun doute que si j'appréciais les cheveux blonds décolorés par le soleil et les joues roses, je vous trouverais à mon goût, remarqua-t-il calmement. Mais je n'ai pas le temps de flatter votre ego, Miss. M'aiderez-vous de plein gré ou dois-je vous enfermer dans votre cabine, puis vous livrer à la police quand nous aurons jeté l'ancre ?

C'était du chantage, ni plus ni moins. Lisa en était consciente mais elle ne pouvait rien faire. Il lui fallait maintenant songer à son père, même si c'était un peu tard. Elle haussa les épaules d'un air résigné.

— Je vais aider.

Le Marocain acquiesça. Mais quand Lisa aperçut dans ses yeux une lueur de satisfaction, elle serra les poings, brûlant de lui sauter au visage et de le frapper. Cet homme avait la partie un peu trop belle ; il ne perdait rien pour attendre.

— Je vais d'abord vous montrer votre cabine, fit-il.

Comme s'il s'était adressé à une invitée, pensa Lisa, le cœur battant, en le suivant dans le couloir. Elle put observer à loisir les épaules larges du Marocain, sa grande taille. Il avait retiré ses chaussures pour enfiler des babouches de cuir pâle.

A mi-chemin dans le couloir, il s'arrêta, ouvrit une porte et lui adressa un bref signe de tête en s'écartant pour la laisser passer devant lui.

Lisa pénétra dans la cabine et regarda autour d'elle. Elle aurait voulu lancer quelque commentaire désobligeant mais ne trouva rien à redire. Les murs étaient lambrissés de bois clair ; le lit recouvert d'une couverture brodée. Un climatiseur rafraîchissait la pièce.

Sa chambre lui plut immédiatement. De plus, la jeune fille ressentait une émotion, une fièvre tout à fait incompréhensibles.

— La porte se ferme-t-elle à clef ?

Elle avait posé la question spontanément. Yusuf ben Dacra haussa aussitôt les sourcils.

— Il existe une clef, en effet. Mais vous n'avez pas à craindre pour votre vertu, *mademoiselle.* Aucun de mes hommes ne s'approchera de vous, je vous en donne ma parole. Quant à moi, je ne vous poursuivrai pas de mes assiduités ; soyez en assurée.

Lisa était écarlate.

— Je connais votre opinion à mon sujet, monsieur, mais je préfère tout de même m'enfermer.

— Comme vous voudrez !

Yusuf ben Dacra se retourna ; il était arrivé à la porte quand il fit soudain volte-face.

— Si vous nourrissez quelque vélléité de vous enfermer dans votre cabine afin d'éviter la corvée de cuisine, Miss, oubliez cela, je vous le conseille fortement.

Lisa cligna des yeux. Son geôlier avait deviné son jeu.

— Eh bien, je n'ai aucune envie de travailler dans votre horrible cuisine ! rétorqua-t-elle d'un ton maussade.

Yusuf l'observa une seconde ou deux sans mot dire.

— Peut-être, admit-il enfin d'une voix trop calme. Mais en ce cas vous n'auriez rien à manger. Réfléchissez sérieusement avant d'agir d'une façon que vous pourriez regretter par la suite, Miss.

— Vous n'avez pas le droit ! insista la jeune fille avec inquiétude.

— Mais si, mademoiselle, affirma-t-il d'un ton confiant.

Il referma la porte derrière lui. Lisa crut un moment qu'il la verrouillerait. Mais elle n'entendit pas la clef tourner dans la serrure et en ressentit un soulagement intense.

Yusuf ben Dacra était aussi impitoyable, aussi imprévisible qu'elle l'avait craint. Jusqu'où pourrait-elle aller sans s'attirer sa vengeance ? Cet homme était non seulement séduisant, troublant même, mais il était dangereux. Lisa n'arrivait plus à comprendre ses propres réactions.

Et en ouvrant la porte de sa cabine pour se rendre à la cuisine, elle laissa échapper un soupir de désespoir.

4

Lisa avait eu l'occasion à plusieurs reprises d'exercer ses talents culinaires. Mme Raymond l'avait même initiée à quelques secrets indispensables à la réussite de la cuisine marocaine. Mais la jeune fille, toutefois, était loin d'être un cordon-bleu et elle était un tant soit peu terrifiée à l'idée d'avoir à nourrir tous ces hommes affamés.

Le yacht possédait heureusement un congélateur, bien approvisionné en volailles, mouton et bœuf, ainsi qu'en légumes. Lisa aurait préféré préparer le rôti classique garni de légumes dont tout marin anglais se fût régalé. Elle opta néanmoins pour un *tajine*, l'équivalent marocain de la daube.

La recette nécessitait du poulet, des légumes et des épices. Mais pour ce qui était des proportions et du temps de cuisson, la jeune fille ne savait strictement rien et dut se fier à son propre jugement ; se rappelant les conseils judicieux de la gouvernante, elle mit de tous les ingrédients en grande quantité.

Si ses efforts étaient couronnés de succès et si les hommes appréciaient sa cuisine, tant mieux ! Dans le cas contraire, comment réagirait Yusuf ben Dacra ? La jeune fille nourrissait peu d'espoir de réussir un repas qui lui plût et faillit même faire exprès de le rater.

Le produit fini lui parut tout à fait mangeable et elle le disposa dans deux grands plats en terre cuite. Puis elle monta sur le pont respirer un peu d'air frais car elle n'avait plus d'appétit quand elle cuisinait ainsi.

Il n'y avait personne à part un jeune homme au gouvernail qui lui jeta un regard furtif. Yusuf ben Dacra lui avait dit la vérité en lui promettant qu'aucun de ses hommes ne la gênerait. D'une certaine façon, elle en était secrètement déçue car, depuis son arrivée sur le *Djenoun* le matin même, elle n'avait parlé qu'à son geôlier. Si elle avait pu échanger quelques paroles avec une autre personne, peut-être se serait-elle sentie beaucoup moins inquiète.

Néanmoins, quels que fussent ses sentiments, Lisa éprouvait toujours le même plaisir à voguer sur l'eau. Le ciel était d'un bleu profond et la mer ondulait dans le sillage du bateau.

Le *Djenoun* était magnifique ; Yusuf ne s'était pas trompé en l'affirmant. Le yacht était probablement la seule chose qu'il aimait au monde, songea-t-elle tristement.

La jeune fille aperçut alors à l'horizon des navires se dirigeant sans aucun doute vers Casablanca. Elle en ressentit une frustration extrême car ils étaient trop loin pour qu'elle tentât d'attirer leur attention.

Elle alla ensuite s'accouder au bastingage de l'autre côté du yacht. Des rochers déchiquetés tombaient à pic dans la mer tels des cascades de granit. Ils lui semblèrent tellement sinistres et menaçants qu'elle se détourna vivement pour ne plus les voir.

Lisa, désespérée, n'osait se demander combien de temps encore elle resterait à bord.

Et quand elle se retrouva dans sa cabine quelques instants plus tard, elle se jeta sur son lit avec colère.

Il y avait probablement des femmes, pensa-t-elle,

pour rêver de se retrouver prisonnières d'un Yusuf ben Dacra; mais Lisa, elle, était de plus en plus inquiète. Il la laisserait sûrement descendre avant la nuit, tenta-t-elle de se persuader. Puis il continuerait sa route vers Zobi, convaincu d'avoir refroidi son enthousiasme pour l'action du groupe.

Soudain, elle sursauta et se redressa sur son lit. On frappait à sa porte à coups discrets. Croyant que c'était Yusuf, la jeune fille sentit son cœur se déchaîner et ne répondit pas immédiatement. On frappa de nouveau, mais plus fort cette fois. Elle se leva et alla répondre.

Ce n'était pas le riche Marocain, néanmoins, mais un beau jeune homme, vêtu d'une veste de coton blanc, qui l'observait avec curiosité.

Le visage du nouveau venu s'éclaira en un large sourire appréciateur. Ou bien Yusuf ne lui avait pas transmis la consigne au sujet de sa prisonnière ou bien le domestique avait choisi de ne pas en tenir compte.

— *Mademoiselle,* M. ben Dacra vous prie de vous joindre à lui, s'il vous plaît, dit-il avec un accent prononcé.

Lisa le regarda d'abord sans comprendre. Cette convocation était si imprévue qu'elle en rechercha immédiatement le motif caché.

— *Mademoiselle ?*

Lisa esquissa un sourire.

— Pourquoi M. ben Dacra désire-t-il me voir? s'enquit-elle.

Le jeune homme parut intrigué par cette question.

— S'il vous plaît, *mademoiselle,* voulez-vous venir ? tenta-t-il de la persuader. M. ben Dacra vous attend.

Il était évident que son patron l'avait chargé de ramener Lisa car il semblait fort désireux de s'acquitter de sa tâche.

— Je veux d'abord savoir *pourquoi* il désire me voir, insista la jeune fille sans avancer d'un pouce.

— Eh bien, pour déjeuner à la salle à manger, évidemment, *mademoiselle.*

Le domestique, c'était visible, semblait la trouver bien lente d'esprit.

— Vous viendrez maintenant ?

Lisa était de plus en plus embarrassée. Elle ne se serait jamais attendue à recevoir une invitation à déjeuner. Quelle était donc la raison de cette convocation ?

— Il s'attend à... il désire que je déjeune avec lui ? C'est bien cela ?

Le jeune homme hocha la tête, carrément intrigué par sa réticence. Lisa pensa tout d'abord refuser de s'asseoir à table en compagnie de son hôte tyrannique. Mais comme son estomac criait famine, l'invitation de Yusuf ben Dacra était bien tentante, même si elle devait y manger son propre *tajine.*

— Très bien, fit-elle à contrecœur. J'arrive. Mais j'ai l'air d'une bohémienne dans cette tenue après avoir passé un temps interminable à la cuisine.

— *Mademoiselle ?*

Mais Lisa n'était pas d'humeur à donner des explications. Elle secoua la tête et suivit le domestique jusqu'à une porte située tout au bout du couloir. Pourquoi le maître de céans tenait-il tant à l'inviter ? se demanda-t-elle encore une fois. Pour se plaindre de sa cuisine... sans aucun doute ! Et quand elle pénétra enfin dans la salle à manger, elle en était si convaincue qu'elle était déjà sur la défensive.

Yusuf se tenait debout près d'une fenêtre et se retourna aussitôt. La jeune fille fut frappée, comme toujours, du magnétisme animal qui se dégageait de cet homme.

Celui-ci, de son côté, contemplait son invitée, ses cheveux ébouriffés, son chemisier bleu épousant

Tous les mois,
chez vous, vivez la grande
aventure de l'amour,
avec Harlequin
Romantique
Abonnez-vous
et recevez en
CADEAU ces
4 romans tendres
et émouvants!
Un inconnu
couleur de rêve
Entre dans
mon royaume
ELIZABETH HUNTER
Naufrage
à Janaleza
Les neiges
de Montdragon
NOUVEAU

Que feriez-vous à la place de...

...Sophie?

Un baiser furtif, volé par un bel inconnu, a longtemps inspiré les rêves de Sophie. Mais voilà que l'inconnu revient, en chair et en os. Sophie va-t-elle lui rappeler ce baiser? Pour le savoir, lisez "Un inconnu couleur de rêve", le roman passionnant d'Anne Weale.

...Emily?

"Je ne me marierai jamais" avait-elle toujours affirmé. Mais voilà qu'un homme possessif, jaloux et dominateur croise son chemin. Emily le repoussera-t-elle ou laissera-t-elle se dénouer son destin? Partagez son délicat dilemme en lisant "Entre dans mon royaume", d'Elizabeth Hunter.

...Venna?

"Venna, ne tombez jamais amoureuse...ça fait trop mal." Venna pourra-t-elle suivre ce conseil lorsqu'elle sera recueillie par Roque, le Brésilien aussi dur que son prénom? Laissez-vous envoûter par le climat mystérieux de "Naufrage à Janaleza", de Violet Winspear.

...Pénélope?

"Je serais ravi de vous voir partir." Resteriez-vous auprès d'un homme qui vous parlerait ainsi? Pourtant, Pénélope ne quittera pas Charles. Vous comprendrez pourquoi en partageant ses sentiments les plus intimes, dans "Les neiges de Montdragon". d'Essie Summers.

Sophie, Émily, Venna, Pénélope...autant de femmes, autant de destins passionnants que vous découvrirez au fil des pages des romans Harlequin Romantique. Et vous pouvez vivre, avec elles et comme elles, la grande aventure de l'amour, sans sortir de chez vous.

Il suffit de vous abonner à Harlequin Romantique. Et vous serez ainsi assurée de ne manquer aucune de ces intrigues passionnantes, et de vivre chaque mois des amours vraies et sincères.

étroitement la forme de son corps sous l'effet de la chaleur et de l'humidité.

— Entrez, Miss, je vous en prie.

Cette simple phrase irrita Lisa au plus haut degré ; Yusuf ben Dacra la traitait comme une hôte de marque et non — pourtant il le savait fort bien — comme une personne qui s'enfuirait à la première occasion. Donc, au lieu de répondre, la jeune fille prit bien soin de ne pas le regarder et se mit plutôt à détailler la pièce.

Yusuf ben Dacra aimait son confort, cela sautait aux yeux. La salle à manger était meublée plus simplement que le grand salon mais elle était tout aussi agréable.

Une grande table bien astiquée occupait presque toute la pièce et pouvait asseoir une douzaine de personnes.

Ce jour-là, il y avait deux couverts seulement. L'argenterie étincelante, le linge blanc immaculé, les verres de cristal indiquaient que le Marocain était un homme de goût. Lisa remercia le ciel en son for intérieur de ne pas avoir à manger avec ses doigts à la marocaine car elle n'avait pas encore réussi à maîtriser cet art.

Sur le sol s'étendait un magnifique tapis traditionnel, semblable à celui du salon. Les murs étaient blancs et ornés d'un fin pointillé or. Deux très beaux dessins à la plume étaient accrochés près de la fenêtre, ce qui se voyait rarement dans une maison marocaine et encore moins sur un bateau.

Lisa identifia immédiatement le premier dessin ; il représentait le cheik Abahn el Boudri, le père adoptif de Yusuf. Le second, par contre, l'intrigua davantage ; c'était sûrement Joseph d'Acra, son vrai père. Sur ce portrait, l'Européen était âgé d'une trentaine d'années ; la forme de son visage, ses traits rappelaient ceux de son fils mais il était blond au lieu d'être brun.

On avait disposé un couvert au bout de la table, l'autre à sa droite. Lisa se retint soudain pour ne pas éclater d'un fou rire irrésistible en songeant que son *tajine* tout à fait ordinaire serait servi dans un cadre aussi luxueux. Son plat ne méritait pas un tel déploiement et son amphitryon s'en rendrait vite compte à ses dépens !

La jeune fille se tourna enfin vers Yusuf ben Dacra ; celui-ci l'observait toujours sans broncher.

— Vous excuserez ma tenue, je l'espère, lança-t-elle d'une voix rauque et agressive. J'ai travaillé pendant des heures à la cuisine et il y faisait très chaud. Comme vous le savez, je n'ai pas de vêtements de rechange.

— On peut y remédier facilement, dit-il avec un tel calme, une telle assurance que Lisa leva brusquement la tête.

Que laissait entendre cette phrase ? Devrait-elle donc rester suffisamment longtemps à bord du yacht pour avoir besoin d'autres vêtements ?

— Cela ne sera pas nécessaire si je...

— Asseyez-vous, Miss, je vous en prie, l'interrompit-il en feignant d'ignorer sa protestation.

Et pendant un instant, Lisa trembla littéralement de fureur.

Elle pouvait difficilement refuser de partager son repas ; elle s'était maintenant trop engagée pour reculer. Elle restait sur ses gardes, toutefois, et était beaucoup plus inquiète qu'elle ne le laissait paraître.

— Combien de temps encore comptez-vous me séquestrer ? J'aimerais bien le savoir ! dit-elle en surmontant sa nervosité.

Yusuf ben Dacra était toujours debout, les mains appuyées au dossier de la chaise de Lisa. Il l'observa pendant quelques secondes sans prononcer une parole. Puis :

— Vous resterez ici aussi longtemps que je le jugerai nécessaire, la renseigna-t-il. Je vous prierai maintenant de vous asseoir et de manger. Vous avez certainement très faim.

La jeune fille ne pouvait le nier et comme elle n'avait pas grand choix, elle obéit et prit place à table. Malgré sa condition de passagère clandestine, on la traitait en invitée, avec courtoisie, nota-t-elle, tandis que le Marocain lui avançait sa chaise.

Les mains mates sur le dossier, les bras musclés lui rappelèrent le jour où Yusuf ben Dacra l'avait soulevée dans ses bras pour la transporter jusqu'à sa voiture. Et à la vue de l'encolure entrouverte de sa chemise dévoilant un torse hâlé, le cœur de la jeune fille battit plus fort. Jamais de toute sa vie elle n'avait été troublée à ce point par un homme et elle poussa un soupir de soulagement quand il s'éloigna enfin d'elle pour prendre place à table à son tour.

— Le repas sera à votre goût, j'espère, fit l'homme assis en face d'elle.

Lisa se tourna vers lui avec curiosité.

— Vous voulez dire mon *tajine ?* s'enquit-elle. Je n'en réponds pas ; je n'en avais jamais préparé auparavant et je l'ai fait approximativement.

Yusuf la dévisageait sans mot dire. Et la jeune fille sentit renaître en elle ses éternels soupçons envers son geôlier.

— J'espère que vous l'avez réussi, dit-il. Pour le bien de mon équipage et pour le vôtre. Néanmoins, on ne vous servira pas votre *tajine.* Ali se charge de préparer lui-même mes repas. Ali est mon valet de chambre, ajouta-t-il comme s'il était nécessaire d'expliquer.

Sur les entrefaites, le domestique entra dans la pièce.

— Il aura choisi, je l'espère, un mets qui saura vous plaire, fit le Marocain.

Lisa fut soulagée d'apprendre que Yusuf ben Dacra ne goûterait pas de son *tajine* car il aurait certainement trouvé matière à critique. Elle était elle-même si affamée qu'elle aurait dévoré n'importe quel plat préparé par le souriant Ali.

— J'en suis persuadée, affirma-t-elle. J'ai très faim ; mon petit déjeuner me semble bien loin !

— Vous vous êtes levée tôt sans doute, fit le séduisant Marocain d'une voix polie, voire même sympathique. Mangez à satiété ; Ali prépare toujours de bonnes portions.

Le valet apportait le repas. Il était bien stylé. Il passait de la jeune fille à son patron avec célérité, discrétion, servant le poulet froid, la salade, et souriant gracieusement chaque fois qu'il rencontrait le regard de Lisa.

Il sentait de toute évidence que cette dernière avait besoin d'encouragement. Que connaissait-il exactement de toute cette histoire ? se demanda-t-elle. L'aiderait-il si elle tentait à nouveau de s'enfuir du *Djenoun ?* Sûrement pas, se dit-elle après un moment de réflexion car il n'oserait s'attirer la colère de son patron.

Yusuf versait lui-même le vin, un bordeaux léger, agréable à boire. Les deux convives parlaient peu. Et quand Ali quitta la salle à manger, il adressa un clin d'œil et un dernier sourire à la jeune fille. Celle-ci se tourna aussitôt vers Yusuf ben Dacra pour vérifier s'il ne s'était pas aperçu du manège de son valet. Le Marocain ne regardait pas Ali, cependant, mais sa captive.

— Je ne m'attendais pas à cela, confessa-t-elle.

Il fronça les sourcils.

— Vous ne vous attendiez pas à être nourrie ? s'enquit-il. Si vous n'aviez pas travaillé à la cuisine, *mademoiselle*, vous n'auriez rien eu à manger ; c'était ce dont nous avions convenu, n'est-ce pas ? Cependant, comme vous m'avez obéi, j'ai tenu ma promesse.

Lisa le défia du regard.

— Et si je n'avais pas obtempéré ?

Il ne répondit pas immédiatement ; ses yeux demeuraient impénétrables.

— Si vous n'aviez pas obtempéré, Miss, j'aurais attendu pour voir combien de temps vous auriez tenu sans manger. Vous ne vous seriez pas laissé mourir d'inanition, j'en suis sûr !

Le cœur de Lisa battait à tout rompre, non pas de peur, mais d'émotion, de fièvre, devant le ténébreux Marocain.

— Ce n'est pas ce que je voulais dire. En réalité, je ne m'attendais pas à avoir l'honneur de m'asseoir à la table du capitaine, expliqua-t-elle avec une pointe de sarcasme. Je croyais plutôt être reléguée aux cuisines ou au poste d'équipage. C'est le lot de votre cuisinier, si je ne me trompe ?

Yusuf mastiqua lentement une bouchée de poulet avant de répondre.

— Vous êtes assez intelligente pour comprendre que je ne puis vous traiter tous deux de la même façon, fit-il enfin.

— Bien sûr, acquiesça Lisa. Vous ne pouvez décemment affamer Hassan pour le faire obéir ! lança-t-elle.

Feignant d'ignorer sa remarque, Yusuf se mit à détailler la jeune fille ; son regard se posa sur sa bouche avec une intensité, une sensualité telles qu'elle fut parcourue d'un long frisson.

— Vous connaissez votre séduction, *mademoiselle*. Et même si la plupart des Marocains sont probablement moins sensibles à vos charmes que les Européens, je préfère vous tenir éloignée de mes hommes d'équipage. Pour leur bien plus que pour le vôtre.

Le pouls de Lisa s'accéléra et elle eut du mal à avaler sa bouchée de poulet. Elle leva fièrement la tête.

— Vous serez peut-être étonné de l'apprendre mais jamais je n'ai songé à séduire vos hommes, répliqua-t-elle d'une voix étouffée. Vous semblez avoir une bien piètre opinion de ma moralité, monsieur. Et si ma présence à bord vous indispose à ce point, libre à vous d'y remédier. Laissez-moi descendre à terre et vous n'aurez plus à craindre que je corrompe vos matelots ou d'être accusé d'enlèvement !

— D'enlèvement ? répéta-t-il en dévisageant Lisa avec encore plus d'arrogance que de coutume. La question ne se pose même pas, *mademoiselle !* Surtout quand on saura que vous êtes montée de votre plein gré à bord du *Djenoun.*

— Pas la seconde fois !

Les yeux noirs étincelèrent. Yusuf ben Dacra n'était manifestement pas impressionné par la menace de la jeune fille.

— Pas un homme ne vous aurait abandonnée seule à Bouli, fit-il. J'aurais témoigné, ce faisant, d'une insensibilité et d'une inconscience extrêmes. Votre père aurait alors eu toutes les raisons de me tenir responsable de ce qui aurait pu vous arriver !

Au souvenir de son père, Lisa eut une brusque envie de le revoir. Mais elle chassa bien vite cette pensée de son esprit. Elle pouvait fort bien se débrouiller toute seule, lui avait-elle assuré lors de son arrivée au Maroc l'année précédente. Elle en était d'ailleurs encore persuadée, même dans les circonstances actuelles.

— Si je ne suis pas rentrée à la maison... commença-t-elle.

— Vous êtes allée passer quelques jours chez une amie, dit Yusuf. De nos jours, il est plutôt rare qu'une jeune fille soit séduite par un cheik romantique. Je dirais même plus : personne ne vous croirait tant c'est improbable !

— Je ne songeais pas à vous...

Elle s'interrompit. Yusuf venait de prononcer une phrase en français. Elle n'en comprit pas le sens mais d'après sa voix chaude, d'après son regard alangui, Lisa sentit le sang affluer brusquement à ses joues. Elle détourna vivement les yeux et déclara, en tentant de maîtriser le tremblement de sa voix :

— Vous n'approuvez sans doute pas la libération de la femme !

Yusuf haussa les sourcils et continua de manger.

— Je ne suis pas misogyne, détrompez-vous, la rassura-t-il calmement. Mais je préfère, je vous l'avoue, un type de femme moins agressif.

Lisa fixait son verre avec attention.

— Vous ne croyez pas en la liberté, dit-elle, sans le penser un instant d'ailleurs, malgré tout ce qu'elle savait de cet homme.

Le Marocain secoua vigoureusement la tête.

— Mais si, je crois en la liberté ! déclara-t-il. Néanmoins, je ne suis pas d'accord avec un renversement complet des rôles. L'histoire et l'évolution l'ont clairement démontré : les femmes n'ont pas tendance à jouer le rôle de dominatrices ; elles n'en ont d'ailleurs pas besoin car elles ont d'autres moyens d'action à leur disposition. Je n'en veux pas aux femmes de vouloir leur liberté, *mademoiselle,* car dans bien des domaines, cela fait longtemps qu'elles auraient dû l'avoir. Mais je ne vois pas pour une femme l'avantage de dominer aux dépens de sa féminité.

Yusuf ben Dacra regardait la jeune fille avec une telle intensité que celle-ci était quasi hypnotisée.

— Il est plus facile de me convaincre par la persuasion que par les menaces, Miss. Comme la plupart de mes congénères, d'ailleurs.

Le Marocain faisait évidemment allusion à l'attitude de sa captive et celle-ci, tout en l'écoutant, ressentait une émotion exquise même si elle n'était pas entièrement d'accord avec ses théories.

Elle porta son verre à ses lèvres et regardant Yusuf ben Dacra d'un air de défi, elle lança :

— Comme la plupart de vos congénères, vous êtes persuadé que les mâles sont des êtres supérieurs par quelque droit divin, n'est-ce pas ?

C'était tout à fait typique de lui, songea-t-elle, de ne pas même essayer de le nier.

— Je préfère choyer une femme que de la considérer comme un homme, déclara-t-il. Je n'ai pas l'habitude de traiter gentiment mes adversaires, quels qu'ils soient. C'est vrai, *mademoiselle,* vous avez raison, dans une relation homme-femme, j'aime bien dominer. La plupart des femmes le préfèrent aussi, si je ne m'abuse.

— Je vois, dit Lisa laconiquement, en continuant de fixer son verre.

A la voir ainsi, un observateur non averti l'aurait crue douce et soumise. Mais quand elle leva la tête, dans ses yeux brillait une lueur de provocation.

— Vous êtes bien sûr de vous, monsieur. Vous appelez cela choyer une femme que de la forcer à accomplir une tâche servile pour laquelle elle n'a aucun penchant ? Vous appelez cela choyer une femme que de la retenir de force sur un yacht dont l'équipage est composé uniquement d'hommes ?

— Je me permets de vous rappeler, Miss, que vous êtes la seule et unique responsable de cet état de choses. Vous êtes montée à bord du *Djenoun* sans y avoir été conviée et vous m'avez menacé d'actes de violence. Vous avez beaucoup de chance de vous en tirer aussi facilement. Quant au reste, aucun de mes hommes ne vous molestera, je vous ai donné ma parole.

— Et vous ? Vous considérez-vous comme un homme ?

Lisa était surexcitée, son cœur battait frénétiquement. Mais déjà elle regrettait son impulsivité ; non seulement son impolitesse était inexcusable mais elle avait détruit la complicité fragile qui avait existé entre eux pendant quelques instants.

Les lèvres de Yusuf se serrèrent de façon inquiétante ; les jointures de ses doigts étaient blanches sous sa peau hâlée quand il saisit son verre.

— Si j'avais un penchant pour les viragos agressives, déclara-t-il d'une voix dure, vous sauriez déjà depuis longtemps si je suis ou non un homme, *mademoiselle !*

Il était hors de lui. Lisa, consternée car elle en était responsable, tenta d'apaiser sa fureur.

— Je... je ne voulais pas dire...

Il lui coupa immédiatement la parole.

— Ne me prenez pas pour un imbécile, *mademoiselle !* Je sais exactement ce que vous vouliez dire et votre mince victoire aura, je le souhaite, ménagé votre amour-propre !

Lisa était au bord des larmes et en ignorait la raison. Elle aurait normalement dû être satisfaite de sa victoire, comme l'avait souligné Yusuf, mais il n'en était rien. Au contraire, elle regrettait de s'être vengée de façon aussi mesquine.

— Je vous en prie, s'enhardit-elle ; ce n'est pas du tout ce que je voulais dire.

— Au contraire, Miss, c'est exactement ce que vous vouliez dire. Votre réaction ne m'étonne guère et j'aurais dû m'y attendre.

Il posa son couteau et sa fourchette côte à côte

dans son assiette vide et continua de parler sans daigner regarder la jeune fille.

— Si vous avez terminé, fit-il d'une voix glaciale, je vais sonner Ali et lui demander de nous apporter le second plat. Je vous prierai cependant de garder silence afin que je déguste la fin de mon repas sans me mettre en colère.

Misérable, tremblante, Lisa se leva si vivement qu'elle faillit trébucher.

— Ne vous occupez pas de moi, dit-elle d'une voix rauque. Ce repas fut exquis. Si vous voulez m'excuser, je vais retourner à ma cabine.

La jeune fille se sentait soudain très vulnérable ; c'était pour elle une impression toute nouvelle et extrêmement angoissante. Si seulement Geoffrey était là pour la rassurer !

La distance jusqu'à la porte lui sembla si interminable qu'elle ne comprit pas comment il avait réussi à l'y devancer. Adossé aux grands panneaux de bois, Yusuf ben Dacra lui barrait le passage.

— Asseyez-vous, je vous en prie, et terminez votre repas, fit-il d'un ton ferme. Cela ne sert à rien d'empirer la situation en jouant la martyre, Miss. Vos amis ne vous en seront pas reconnaissants.

— Mes amis ? répéta-t-elle en le dévisageant pendant un instant sans comprendre.

Lisa secoua lentement la tête. C'était incroyable mais elle avait oublié, l'espace de quelques secondes, la raison de sa présence sur le yacht.

— Vous faites erreur si vous croyez que je me donne des airs de martyre, déclara-t-elle d'une voix vacillante peu susceptible de convaincre qui que ce fût et encore moins le Marocain. Je n'ai pas faim, voilà tout.

Yusuf ben Dacra lui souleva soudain le menton d'une main. Et Lisa en fut si stupéfaite qu'elle suffoqua et le regarda d'un air circonspect. Il l'observa un moment dans les yeux avec son audace habituelle.

— Vous mentez incroyablement mal, affirma-t-il. Si vous devez travailler, il vous faut manger ; dois-je vous rappeler que vous avez ce soir un autre repas à préparer pour l'équipage ?

— Oh, mais j'en suis *incapable.*

Elle crut pendant un instant l'avoir ébranlé par sa véhémence ; mais son adversaire se ressaisit rapidement.

— Vous en êtes capable, vous avez fait vos preuves, insista-t-il. Il existe un proverbe français pour confirmer mes dires : c'est en forgeant qu'on devient forgeron !

Lisa tremblait ; elle était complètement démunie face à cet homme et luttait contre les larmes. Yusuf ben Dacra, toutefois, n'aurait pas été ému par ses pleurs mais plutôt réjoui, vu les circonstances. Elle déclara donc d'un ton voilé :

— Vous ne pouvez me séquestrer ainsi, fit-elle, les yeux un peu trop brillants. Vous... vous n'en avez pas le droit !

Le Marocain lui tenait toujours le menton ; il resserra son étreinte.

— Et vous, de quel droit vous êtes-vous introduite sur mon bateau ? De quel droit avez-vous violé mon intimité et m'avez-vous menacé ? Vous parlez de droits, *mademoiselle,* comme si vous étiez la seule à en avoir !

La bouche de Lisa se mit à trembler involontairement. Elle aurait voulu l'implorer de rentrer chez elle mais son orgueil la retenait. Elle refusait de le supplier de lui donner sa liberté ; cependant dans ses yeux se lisait une prière ardente.

— Vous êtes aussi dur, aussi insensible que je le croyais, l'accusa-t-elle d'une voix rauque. Vous êtes un monstre d'arrogance et d'égoïsme ! Comme je souhaiterais n'être jamais montée à bord de votre horrible yacht !

Les lèvres de Yusuf ben Dacra se resserrèrent. Il saisit Lisa par les deux bras et l'attira contre son corps ferme et musclé.

— Moi aussi, murmura-t-il. *Mon dieu*, moi aussi !

Sous l'effet de la surprise, Lisa ne tenta pas de résister. Le Marocain se pencha et écrasa la bouche de la jeune fille sous la sienne dans un baiser passionné.

Cet assaut fougueux laissa Lisa sans force, sans énergie dans les bras de son geôlier. Quand il la relâcha lentement, comme à regret, elle mit un moment à reprendre son souffle et le regarda avec stupeur.

Le Marocain se dirigea vivement vers la table. Comme il avait le dos tourné, la jeune fille ne pouvait distinguer son visage ; mais en le voyant passer nerveusement une main dans ses cheveux noirs, elle se rendit compte qu'il n'était pas aussi calme que sa voix le laissait supposer.

— Vous connaissez probablement fort bien ce genre de situation, dit-il d'un ton convaincu. Je ne voulais pas que cela se produisît et j'en suis désolé.

Lisa l'observait avec stupéfaction ; Yusuf ben Dacra était plus préoccupé d'avoir perdu tout empire sur lui-même que d'avoir troublé les sens de sa prisonnière. Et, l'espace d'un instant, elle le détesta pour l'avoir si mal jugée. Jamais elle n'avait été si remuée par un baiser et pourtant le Marocain ne s'en rendait pas compte.

Lisa porta le dos de sa main à ses lèvres si délicieusement meurtries.

— Croyez-vous, en toute sincérité, que j'aie l'habitude de ce genre de choses ? l'interrogea-t-elle d'une voix rauque. Me prenez-vous en plus pour une femme légère ? Sans compter tous les autres défauts que vous m'attribuez ?

Yusuf ben Dacra, intrigué par ce reproche, avait les sourcils froncés et regardait la jeune fille avec curiosité.

— On vous a sûrement déjà embrassée auparavant, dit-il d'une voix grave et rauque lui aussi. Vous n'êtes pas si naïve, cela m'étonnerait bien !

Lisa ignorait comment le convaincre, comment lui dire la vérité. Pouvait-il comprendre que les caresses sans lendemain échangées avec des camarades après une sortie ne ressemblaient en rien au trouble violent, sensuel, dont elle venait de faire l'expérience ? Elle n'essaya pas de le lui expliquer car cela n'aurait servi à rien. Elle ouvrit la porte.

— Vous ne me croiriez pas si je vous disais la vérité, se contenta-t-elle de déclarer d'une voix mal assurée.

Mais en se retournant pour refermer derrière elle, la jeune fille jeta un dernier coup d'œil sur le Marocain debout près de la fenêtre ; et son pouls s'accéléra en apercevant la lueur dans ses yeux.

— Au contraire, *ma chère mademoiselle,* fit-il avec douceur.

Et Lisa sentit son cœur chavirer en voyant la bouche de Yusuf ben Dacra esquisser un sourire d'une ardeur et d'une sensualité intenses.

5

Lisa se demandait quoi préparer pour le dîner des hommes d'équipage quand Ali pénétra dans la cuisine en souriant.

La jeune fille lui rendit son sourire tout en se disant néanmoins que le domestique était là sur l'ordre de Yusuf.

— Vous êtes venu vous assurer que je faisais bien mon travail ? s'enquit-elle. A moins que mon *tajine* n'ait pas satisfait aux exigences des matelots du *Djenoun !*

Ali éclata de rire.

— Le tajine était délicieux pour une...

— Pour une étrangère ou pour une débutante ? termina Lisa. Si les hommes ne sont pas contents, qu'ils s'en prennent à leur patron ! Après tout, je n'y tenais pas à ce boulot !

— M. ben Dacra m'a demandé de vous aider, fit Ali.

D'après son sourire, il paraissait fort heureux de se soumettre à cet ordre.

— Grâce à mes conseils, vous serez bientôt une cuisinière hors pair, *mademoiselle.*

— Je ne me propose pas de rester assez longtemps pour avoir la possibilité de m'exercer, répliqua Lisa en se tournant vers lui. Vous pouvez avertir de ma part M. ben Dacra que je n'ai pas l'intention de suivre un cours d'art culinaire car je ne m'éterniserai pas sur son yacht !

Ali fut visiblement désarçonné par la véhémence de la jeune fille et celle-ci se sentit injuste de se défouler sur lui alors qu'il n'était visiblement responsable de rien.

— Désirez-vous mon aide, *mademoiselle ?* s'enquit-il d'un air attendrissant de chien battu. Je fais une très bonne cuisine, insista-t-il.

— J'en suis convaincue, acquiesça Lisa avec le sourire.

— Mon grand-père était Français. C'était un chef célèbre !

— Vraiment ? fit la jeune fille, favorablement impressionnée.

Le domestique prit un couteau et se mit à couper des légumes.

— Je vous croyais Marocain, Ali ; j'ignorais que vous aviez du sang français.

— Vous savez pour M. ben Dacra ?

Lisa opina de la tête et lui jeta un bref coup d'œil.

— Pourquoi ? Est-ce un secret ?

Le valet haussa les épaules.

— Non. Mais tout le monde n'est pas au courant. On le dirait Marocain à le voir, non ? Et quand il porte la *djellaba...*

— Je l'ai vu dans sa *djellaba,* dit la jeune fille et Ali eut un large sourire comme si cela l'amusait énormément.

— Ah oui ! répondit-il. Quand M. ben Dacra vous a fait remonter à bord à Bouli, n'est-ce pas ?

— Eh bien, moi, je n'ai pas trouvé cela très drôle, figurez-vous !

Le valet reprit aussitôt son sérieux mais dans ses yeux brillait une lueur espiègle.

Ils travaillèrent un bon moment en silence. Puis Ali esquissa à nouveau un sourire irrésistible.

— Vous me permettez donc de vous enseigner la cuisine ? demanda-t-il.

Lisa fit la grimace.

— Puisque votre grand-père était un chef célèbre, autant en profiter !

— Vous savez, *mademoiselle*, j'ai un peu de sang français, une goutte de sang espagnol et beaucoup de sang marocain. Mais tout comme M. ben Dacra, j'ai choisi d'être Marocain.

— Au contraire, vous ne ressemblez *en rien* à M. ben Dacra, affirma-t-elle d'un ton élogieux. Je n'aime pas les tyrans dominateurs et impitoyables comme lui et j'ai la ferme intention de lui fausser compagnie dès que la chance se présentera.

— Vous ne l'aimez pas ? s'enquit Ali, manifestement intrigué.

— Est-il donc si populaire ? Je n'arrive pas à comprendre pourquoi !

— Les femmes l'aiment, expliqua Ali d'un air entendu.

— Et lui ? demanda la jeune fille, entrant dans son jeu. Les aime-t-il ?

— Bien sûr ! acquiesça le valet en souriant plus que jamais. Mais M. ben Dacra est discret. Pas comme M. Yacub Boudri, son frère... celui-ci a toute une réputation !

Lisa se rappela les yeux de velours, le regard langoureux du jeune homme qui l'avait obligeamment aidée dans les jardins du cheik.

— En effet, j'imagine fort bien ! Vous voulez dire son frère adoptif, cependant. Ils ne sont pas vraiment frères !

— Frères adoptifs, demi-frères, où est la différence ? lança Ali avec un haussement d'épaules. C'est la même grande famille.

Lisa ne voulait pas paraître trop curieuse de peur de mettre fin aux confidences du domestique.

— Appartiennent-ils *vraiment* à la même famille ? Je n'ai pas très bien compris.

— Madame a d'abord épousé l'ingénieur français, puis le cheik Abahn. Mlle Zeineb est leur fille.

Lisa avait saisi. C'était en effet plus simple de les considérer comme appartenant à une seule et même famille.

— Aimez-vous travailler pour M. ben Dacra ?

— Oh, oui, *mademoiselle,* répondit-il spontanément, avec une sincérité manifeste. C'est un homme très bon. Tout le monde l'aime. Et de plus, il paie bien.

— Je n'en doute pas, répliqua la jeune fille avec conviction.

C'était en effet, d'après Geoffrey, un homme d'affaires honnête.

— Mais pourquoi affirmez-vous qu'il est *bon,* Ali ? Pourquoi ce terme ? On ne l'emploie plus guère de nos jours.

Le domestique semblait perplexe ; il secoua la tête comme s'il n'arrivait pas à suivre le raisonnement de la jeune fille.

— Prenons Zobi, par exemple, continua-t-elle. Comment pouvez-vous...

— Je ne sais rien, *mademoiselle ;* excusez-moi !

On l'avait donc averti de ne pas en dire trop long, songea Lisa en coupant un piment rouge. Ali voulait bien chanter les louanges de son patron mais refusait catégoriquement de discuter du sujet qui passionnait la jeune fille.

— Vous êtes bien dressé, fit-elle avec un sourire amer. Mais après tout, ce qui se passe à Zobi est de notoriété publique. Il n'y a pas de mal à en parler.

— Je ne puis, *mademoiselle ;* c'est impossible.

— Parce qu'il vous a menacé...

— M. ben Dacra ne fait jamais de menaces, *mademoiselle*, lui reprocha Ali avec une dignité inattendue, apparemment résolu à ne pas discuter de Zobi.

— Je suis désolée, dit-elle en souriant tristement. Je ne vous embarrasserai plus en vous posant d'autres questions sur les projets de votre maître pour Zobi.

— Merci, *mademoiselle*... mais M. ben Dacra est mon patron et non mon maître.

Lisa se demanda, l'espace d'un instant, si le valet avait plaisanté en la corrigeant.

— Bien sûr, Ali. Je suis désolée.

A compter de ce moment, ils s'entendirent à merveille. Ali était non seulement un cuisinier de talent, Lisa était forcée de l'admettre, mais également un professeur compétent. Et quand le dîner fut prêt, elle avait déjà appris beaucoup. A la fois sur la cuisine et sur Ali. Le domestique était sympathique, accommodant, mais il était en même temps si dévoué à Yusuf ben Dacra que jamais, par exemple, elle ne pourrait compter sur lui pour l'aider à prendre la fuite.

Ils riaient tous deux sans contrainte quand l'expression d'Ali changea soudain ; son sourire se figea sur son visage. Lisa se retourna vivement pour en connaître la cause. Yusuf, debout dans l'embrasure de la porte, les observait avec désapprobation. Il prononça quelques mots en arabe et aussitôt le valet jeta un bref coup d'œil vers la jeune fille et inclina la tête.

Le dîner était presque prêt ; Ali n'avait donc plus rien à faire. Mais Lisa en voulait à son geôlier d'avoir éloigné le domestique comme si ce dernier, en la faisant rire, avait commis quelque grave délit.

— N'accusez pas Ali, fit Lisa sans laisser à Yusuf le temps de lui adresser la parole. Il m'a fait rire, voilà tout. Il n'est coupable de rien sauf de m'avoir remonté le moral !

Yusuf adressa un bref signe de tête à son domestique. Celui-ci se dirigea rapidement vers la porte puis, se retournant à mi-chemin, adressa un clin d'œil à la jeune fille. Son patron, cependant, l'avait vu et lui lança en arabe un ordre cinglant. Le valet en resta tout déconfit et quitta la pièce à la hâte.

— Etiez-vous *obligé* de le brusquer ainsi ? demanda Lisa avec rancœur. Vous n'avez pas à vous inquiéter : il s'est tu dès que j'ai mentionné Zobi !

— Je l'espère, répondit Yusuf calmement. Je ne tiens pas à ce que mes serviteurs de confiance discutent de mes affaires à tort et à travers.

Lisa avait été remise à sa place d'un ton ferme.

— Voilà pourquoi je trouve exagéré de lui avoir fait des remontrances, protesta-t-elle.

— Vous ne connaissez pas Ali comme je le connais. Je l'ai réprimandé parce qu'il vous a adressé un clin d'œil. Un seul sourire d'encouragement et il a tendance à devenir très... amical.

— Et vous me l'avez quand même envoyé pour qu'il m'enseigne la cuisine ? Je vous remercie !

Yusuf l'observa un moment sans prononcer un mot et se passa lentement une main dans les cheveux. Il avait eu le même geste au déjeuner après l'avoir embrassée. Le même geste de déconvenue.

— Je m'attendais à vous voir le tenir à distance, dit-il. C'est pourtant l'impression que j'ai eue quand...

Aussi inconcevable que cela pût sembler, Yusuf ben Dacra était bel et bien mal à l'aise. Le cœur de Lisa battait à tout rompre en se rappelant son baiser dévastateur.

La jeune fille se détourna et se mit à nettoyer le plan de travail.

— J'espère que vous ne réprimanderez pas Ali

davantage, dit-elle d'une voix mal assurée. Il ne le mérite pas. De plus, je n'ai pas eu à le remettre à sa place.

Yusuf ne répondit pas. Et quand elle se retourna vers lui, il n'était plus là et avait refermé la porte si discrètement qu'elle n'avait pas entendu un bruit. Pourquoi était-elle soudain si déçue qu'il fût parti ?

Lisa avait très mal dormi. Il était pourtant plus de minuit quand elle s'était mise au lit mais, dans son agitation, elle n'arrivait pas à trouver le sommeil. Elle avait cru jusqu'au dernier moment que jamais Yusuf ben Dacra ne la retiendrait à bord pour la nuit. Lorsqu'elle avait dû se rendre à l'évidence, elle avait ressenti pour la première fois une vive anxiété en songeant combien elle était isolée sur le yacht.

Elle avait regardé la lune se refléter sur la mer d'huile et les étoiles scintiller tels des diamants dans des écrins de velours sombre. Le cadre romantique n'avait fait qu'ajouter à son amertume et elle eut l'impression d'avoir quitté Casablanca depuis une éternité.

Peu après le départ de Yusuf de la cuisine, Ali était venu la convier à dîner de la part de son patron ; la jeune fille avait refusé poliment mais fermement et s'était contentée de partager le mouton et le riz de l'équipage. Le riche Marocain l'avait sûrement trouvée entêtée et ridicule de refuser ce privilège mais Lisa ne voulait pas risquer un autre incident comme celui du déjeuner.

Elle était couchée depuis un moment quand on avait frappé à sa porte. La jeune fille, sûre de ne pas être libérée avant le matin, n'avait donc même pas pris la peine d'ouvrir ; elle s'était tout simplement levée pour aller tourner la clef dans la serrure.

Elle se réveilla tard et regarda d'abord autour d'elle avec étonnement. Et quand les événements de la veille lui revinrent à l'esprit, elle faillit pleurer de déception et de frustration. Elle songea même à susciter la sympathie de son geôlier en éclatant en sanglots devant lui. Mais elle y renonça en pensant que ses larmes ne réussiraient pas à apitoyer un cœur aussi dur.

Lisa se leva, alla à la salle de bains et après une bonne douche, se sentit d'attaque. Elle était en train d'enfiler son pantalon quand on cogna à la porte.

Elle leva brusquement la tête et fronça les sourcils. Etait-ce son visiteur nocturne ? Si c'était Ali la priant d'aller prendre son petit déjeuner à la salle à manger, elle refuserait l'invitation, comme elle l'avait fait la veille, même si elle devait mourir de faim. Yusuf ben Dacra était un homme beaucoup trop troublant pour partager sa table ; elle craignait également de voir se répéter l'épisode de la veille.

Cette fois-ci, cependant, il était impossible de ne pas répondre car on frappait à coups redoublés. Elle boutonna son pantalon à la hâte et tout en se dirigeant vers la porte, s'écria :

— Ça va, ça va, Ali. J'arrive !

La jeune fille ouvrit et aperçut, à sa grande stupéfaction, Yusuf ben Dacra.

— Oh ! s'exclama-t-elle, trop abasourdie pour agir avec tact. Je ne m'attendais pas à vous voir !

Pourquoi son cœur martelait-il ainsi sa poitrine quand elle se trouvait en présence du ténébreux Marocain ?

Ce dernier l'observa un moment sans parler.

— Bonjour, Miss. Avez-vous passé une bonne nuit ?

— Je n'ai pas fermé l'œil, fit Lisa en ne faisant aucun effort pour être polie. Cela ne devrait pas vous étonner si vous songez à tous ces soucis qui m'obsèdent !

Yusuf ben Dacra portait une chemise blanche et un

pantalon de couleur claire. Il venait de se raser et sentait l'eau de cologne. C'était décidément un homme bien séduisant, extrêmement sensuel et la jeune fille avait de plus en plus de mal à le détester malgré son attitude arrogante.

Feignant d'ignorer sa remarque, il jeta un coup d'œil sur le chemisier et le pantalon froissé de sa prisonnière, sur ses cheveux ébouriffés.

— Puis-je entrer ? s'enquit-il.

Comme elle hésitait, le Marocain fronça les sourcils.

— Vous vous êtes plainte, hier, de ne pas avoir de vêtements de rechange, poursuivit-il.

— Je n'ai que ceux que je porte actuellement... grâce à vos bons soins !

— C'est de votre faute, remarquez bien, lui rappela-t-il d'un ton cassant. On peut y remédier néanmoins. Je voulais vous le dire hier soir mais vous avez refusé de dîner en ma compagnie. Et quand je m'en suis souvenu, il était déjà fort tard, vous dormiez. A moins, ajouta-t-il après l'avoir observée un moment avec audace, que vous n'ayez eu quelque autre raison de ne pas répondre !

— Je n'ai pas l'habitude d'ouvrir la porte de ma chambre en pleine nuit, rétorqua Lisa sèchement, sachant parfaitement qu'il l'avait entendue verrouiller. Surtout dans les circonstances actuelles !

— Vous ne risquez rien ce matin, fit Yusuf avec une pointe d'impatience dans la voix. Vous permettez ?

Lisa s'écarta pour le laisser entrer.

— Bien sûr.

— Ma sœur a été la dernière personne à occuper cette cabine, dit-il. Et, sauf erreur, Zeineb a sûrement laissé des vêtements dans son placard. Ils pourront vous servir.

— Votre sœur ?

Lisa n'avait pu résister à poser cette question ; et le ton de sa voix ne laissait subsister aucune équivoque.

— Ma demi-sœur, si vous tenez à être pointilleuse, *mademoiselle.*

Lisa se sentit alors bien mesquine d'avoir insisté. Yusuf ouvrit la porte de la penderie. D'un côté se superposaient des tiroirs. De l'autre, des cintres étaient suspendus à une tringle et quelques vêtements y étaient négligemment accrochés. C'étaient pour la plupart des robes de coton, très simples, mais d'excellente qualité.

Le Marocain ouvrit ensuite les tiroirs. Lisa aperçut des sous-vêtements jetés pêle-mêle avec la même insouciance.

— Zeineb oublie toujours quelque chose, soupira le Marocain ; au moins sa négligence sera-t-elle utile cette fois-ci !

Et tout en parlant, il détaillait Lisa, d'un air connaisseur.

— Ces vêtements seront probablement trop amples pour vous, poursuivit-il. Zeineb est plus grande et plus... potelée. Nos femmes ne sont pas aussi minces que les Européennes mais vous devriez trouver une robe qui saura vous convenir.

Lisa observait le Marocain avec curiosité.

— A vous entendre, on ne vous croirait pas Européen, fit-elle. *Nos* femmes ne sont pas aussi minces que les Européennes, avez-vous dit. N'avez-vous pas du sang français ?

Yusuf parut surpris puis secoua lentement la tête.

— Vous êtes bien renseignée, Miss ; je l'ignorais. Peu de gens sont au courant de mes origines françaises.

— En avez-vous honte ?

— Non, *mademoiselle,* je n'en ai pas honte, déclara-t-il en tentant de maîtriser sa colère. Ma mère a épousé un Français mais j'ai très peu connu mon père. Je me suis toujours considéré Marocain, comme elle. Je suis né ici, le Maroc est mon pays, même si j'ai fait toutes mes études en France.

— Vous avez plus souvent recours au français qu'à l'arabe quand la langue anglaise vous fait défaut, remarqua-t-elle.

Lisa leva les yeux vers lui et rougit en apercevant une lueur étrange dans son regard.

— Vous m'avez de toute évidence observé de près, *mademoiselle*, déclara-t-il d'une voix grave, touchante soudain, qui fit battre plus vite le pouls de la jeune fille. Apprenez à connaître votre ennemi... est-ce là votre devise ?

— Je m'intéresse aux gens en général, lança-t-elle sur la défensive, d'une voix altérée. Pas à vous en particulier, monsieur.

— Ah !

Il n'était pas convaincu, cela sautait aux yeux. Lisa, refusant de s'impliquer davantage, ajouta :

— Je m'intéresse surtout à quelque chose de plus urgent. Quand me laisserez-vous rentrer chez moi ? Cette situation n'a-t-elle pas assez duré ? vous ne pouvez me séquestrer beaucoup plus longtemps sans vous attirer de fameux désagréments. On s'est déjà aperçu de mon absence ; n'en êtes-vous pas conscient ?

— Mais si, fit-il avec un sang-froid qui la stupéfia. Néanmoins, tant que vous serez à ma merci, vos amis ne pourront pas mettre leurs menaces à exécution. Vous me servirez de monnaie d'échange, *mademoiselle*.

Lisa n'en croyait pas ses oreilles. Elle voyait enfin clair dans le jeu de Yusuf ben Dacra. Ce dernier avait sûrement raison : les militants de Balek hésiteraient à entreprendre une action à Zobi tant qu'elle serait retenue prisonnière à bord du *Djenoun*. Un détail cependant lui échappait ; le cheik Abahn avait beau être influent, son fils adoptif ne pouvait la tenir enfermée illégalement sans s'exposer à des ennuis.

— Quand mon père l'apprendra, prenez garde à vous ! lança-t-elle. C'est un homme important, vous l'avez dit vous-même ; vous ne vous en tirerez pas facilement si vous continuez à me garder en otage !

— Votre père comprend la situation beaucoup mieux que vous, mademoiselle. Et il est convaincu que vous n'encourez aucun danger à bord du *Djenoun.*

Lisa, bouche bée, fixait son geôlier d'un air incrédule.

— Je me suis mis en contact avec lui par radio, hier, poursuivit-il ; il m'a donné carte blanche jusqu'à ce que je puisse vous laisser débarquer à ma convenance.

— C'est absolument ridicule ! s'écria Lisa, ahurie. Je ne suis plus une enfant, je suis une femme. Personne, pas même mon père, n'a de droits sur moi. J'ai vingt-deux ans, bientôt vingt-trois ; je suis responsable de mes actes ! Je ne suis plus sous la tutelle de mon père !

Les yeux noirs restèrent imperturbables.

— Dans mon pays, Miss, une jeune fille reste sous la tutelle de son père jusqu'à son mariage. Et ne dit-on pas : avec les loups il faut hurler ? Vous vous êtes conduite avec un manque de maturité inouï ; et cela me laisse croire que vous avez encore besoin d'autorité. Néanmoins, si vous pensez qu'en raison de votre âge il ne faut plus vous traiter comme une enfant indocile, c'est votre droit. On vous considérera comme une jeune femme qui a besoin d'une bonne leçon pour s'être conduite de façon irresponsable dans un pays étranger... *mon* pays en l'occurrence. Quel que soit votre choix, votre père m'a demandé d'être indulgent à votre égard et j'ai accédé à sa prière.

Le cœur de Lisa battait si fort qu'elle crut défaillir. Yusuf ben Dacra avait sûrement joint John Pelham ; cela ne l'étonnait guère. L'attitude du conseiller commercial, toutefois, était difficile à accepter.

— Pourquoi papa consentirait-il si volontiers à faire confiance à un étranger ? s'enquit-elle.

Les yeux sombres de Yusuf furent, l'espace d'un instant, emplis de pitié.

— Mon père et moi connaissons John Pelham depuis plusieurs années. L'ignoriez-vous donc ? Je l'ai assuré que vous étiez en sécurité et il a accepté ma parole. Même si la situation va tout à fait à l'encontre des convenances.

Si seulement, songea Lisa, elle avait prêté davantage attention quand son père lui parlait de son travail ! Elle aurait peut-être su comment traiter avec ce dangereux adversaire ! Elle était pour le moment en perte de vitesse. Yusuf avait en effet persuadé John Pelham que sa fille était en sécurité et qu'il la retenait à bord pour s'assurer la bonne conduite du groupe.

— Que lui avez-vous dit ? demanda-t-elle.

Elle s'en moquait éperdument maintenant mais cherchait à gagner du temps. Elle avait besoin de réfléchir et était bien près de fondre en larmes.

— Je lui ai dit ceci : vous vous êtes introduite clandestinement sur mon yacht afin de me faire des menaces à propos de mon projet pour Zobi. Pour ne pas être livrée à la justice et pour taire l'affaire, vous avez accepté de rester à bord et de cuisiner pour mes hommes.

— C'est du chantage ! l'accusa Lisa sans hésiter.

— Pas du tout, Miss, rétorqua Yusuf avec fermeté. Votre père comprend fort bien la précarité de sa situation, si jamais cette histoire était rendue publique. Zobi a reçu la ratification du gouvernement même si c'est le projet d'une entreprise privée.

Toute tentative de sabotage serait considérée comme un acte contrevenant aux intérêts de notre pays. Et comme il s'agit de ressortissants étrangers, les conséquences risqueraient d'être très graves. A la fois pour eux *et* pour leur famille.

Il dramatisait sans doute la situation mais son raisonnement était assez logique, admit Lisa contre son gré.

— Vous exagérez ! fit-elle en tentant de prendre un ton badin. Papa est trop bien considéré ; votre gouvernement ne peut le tenir responsable de mes actes.

— Quelle que soit votre opinion là-dessus, Miss, fit Yusuf ben Dacra avec mépris devant son refus de faire face à la réalité, une chose est claire. Vous m'êtes plus utile ici comme garantie de la bonne conduite de vos amis qu'en liberté à faire des sottises. Votre père m'a trouvé très clément vu les circonstances ; et selon lui, un peu de discipline ne vous fera pas de tort. Il préfère de beaucoup vous savoir à bord du *Djenoun* au lieu de vous compromettre encore davantage avec vos amis.

— Vous avez bien calculé votre coup, n'est-ce pas ? lança la jeune fille d'un air de défi. Votre gouvernement n'a aucun intérêt à construire un hôtel aux dépens d'une petite communauté ; je n'en crois rien. Le groupe n'abandonnera pas, que vous me déteniez ou non en otage.

— Je ne le crois pas, trancha le Marocain avec assurance en parcourant des yeux le visage de Lisa. Il y a, si j'ai bien compris, un jeune homme qui y veillera, un certain Geoffrey Mason... celui qui vous attendait à la porte de la demeure de mon père l'autre soir. Il se préoccupe suffisamment de vous, il me semble, pour empêcher les autres d'attenter une action irréfléchie.

Lisa était désespérée par l'attitude de son père qui

s'était rangé du côté de l'autorité, c'est-à-dire du côté de la famille du cheik Abahn.

— Comment papa a-t-il pu me confier à la garde d'un homme qui me considère uniquement comme un otage, qui me fait même servir ses matelots ?

— Vous exagérez, répondit Yusuf ben Dacra sans se démonter. Votre père m'a chargé de veiller à ce qu'il ne vous arrive aucun mal. Et je ferai tout ce qui est en mon pouvoir pour qu'il ne regrette pas de m'avoir fait confiance.

— N'est-il pas un peu tard ?

Lisa vit le Marocain serrer brusquement les lèvres mais il conserva son empire sur lui-même. Elle tira donc peu de satisfaction de sa remarque acérée.

— Ce Geoffrey Mason est-il votre amant ?

Elle rougit... ce qui la mit encore plus en colère. De quel droit la questionnait-il sur Geoffrey ?

— Non, ce n'est pas mon amant ! nia-t-elle avec véhémence. Geoffrey est un bon ami, sans plus !

— Ce n'est pas l'avis de votre père, remarqua Yusuf. Néanmoins, maintenant que vous savez M. Pelham au courant, vous serez plus rassurée.

— Quelle consolation ! Je veux rentrer *chez moi !*

Sa prière pathétique, cependant, ne trouva aucun écho auprès de Yusuf ben Dacra. Ce dernier jeta un coup d'œil à sa montre puis pointant du doigt vers le placard :

— Prenez tout ce dont vous avez besoin. Ensuite allez préparer le déjeûner pour mes hommes. Il se fait tard et ils préfèrent travailler le ventre plein.

— Ali sera-t-il là pour m'aider ?

— Non !

Comme il se retournait pour sortir, Lisa lança d'une voix plaintive :

— Comment pouvez-vous agir de la sorte ?

— Vous ne me laissez pas le choix, dit-il avant de refermer la porte derrière lui.

Lisa, dans ses vêtements d'emprunt, se sentait un peu mal à l'aise car ils étaient au moins deux tailles au-dessus de la sienne et, de plus, beaucoup trop élégants pour faire la cuisine.

Elle avait enfilé une robe de coton corail à manches courtes, garnie de blanc à l'encolure et à l'ourlet. Elle l'avait choisie parce que la couleur, vive et gaie, lui remontait le moral et rehaussait son teint et sa chevelure.

Quand elle l'avait mise tout d'abord, on aurait dit un sac ; mais elle avait trouvé dans un tiroir une écharpe appartenant à Zeineb Boudri et l'avait utilisée comme ceinture. L'encolure bâillait et révélait quelque peu sa gorge ferme mais elle ne pouvait rien y faire. Yusuf ben Dacra serait mal venu de la critiquer dans ces circonstances.

Une fois le déjeuner des hommes servi, Lisa mangea à son tour. Elle n'avait pas reçu d'autre invitation de Yusuf depuis son refus de la veille. Puis comme toujours, elle monta sur le pont rechercher un peu de fraîcheur.

La rive lui semblait plus rapprochée que de coutume mais elle n'en était pas très sûre. Elle aurait aimé se renseigner mais il n'y avait personne, comme d'habitude, à part un vieillard au gouvernail qui ne serait pas plus loquace que son prédécesseur.

La jeune fille ne risquait rien à essayer, et elle se dirigea vers la timonerie. Elle adressa au vieillard un sourire timide qu'il lui rendit aussitôt.

— *Bonjour !* lança-t-elle, encouragée.

Elle ne parlait pas un mot d'arabe et très peu de français ; mais comme un grand nombre de Marocains connaissaient cette dernière langue, elle avait tenté sa chance. L'homme n'était pas de ceux-là, néanmoins, et il marmonna une réponse en arabe. Déçue mais tenace, elle continua en montrant du doigt une agglomération sur la côte :

— Comment se nomme cet endroit ? Est-ce une ville ?

Le soleil lui brûlait les yeux. Elle croyait discerner des maisons mais n'arrivait pas à distinguer si c'était un village, une ville ou encore un port isolé comme celui de Bouli où elle avait failli prendre la fuite.

L'homme prononça quelques mots en arabe ; Lisa n'en retint qu'un seul. Quand elle l'entendit, elle tourna vivement la tête et regarda de nouveau les constructions au loin, miroitantes sous la chaleur torride. Le cœur battant sourdement, elle tendit encore le doigt tout en répétant avec insistance :

— Zobi ? C'est bien Zobi ?

L'homme acquiesça en l'observant avec curiosité. Lisa bouillait d'impatience car il ne parlait pas l'anglais. Un homme de son âge, père de famille peut-être, l'aurait sans doute aidée si elle avait réussi à lui faire comprendre sa situation fâcheuse. Mais rien à faire de ce côté ! La jeune fille soupira d'un air résigné et retourna s'accouder au bastingage.

C'était fascinant de voir enfin l'endroit qui, depuis quelques jours, avait pris une telle importance dans sa vie, l'endroit pour lequel elle avait affronté tant de dangers. De loin Zobi ne semblait pas très étendu... ce n'était pas une ville mais un village, tout au plus. Elle n'apercevait que quelques palmiers et l'emplacement lui sembla rébarbatif, hostile pour y construire un hôtel.

Lisa observait toujours la rive quand elle sentit une présence à ses côtés. C'était Ali.

Il lui adressa un sourire bien moins chaleureux que les précédents et la jeune fille en fut tout étonnée.

— M. ben Dacra souhaite...

— Je me moque éperdument des souhaits de M. ben Dacra pour le moment, l'interrompit-elle vivement, refusant d'entendre les dernières directives de son geôlier. C'est bien Zobi, là-bas, n'est-ce pas, Ali ?

Le domestique acquiesça mais il ne semblait pas heureux que Lisa feignît d'ignorer ainsi le message de son patron.

— Nous dirigeons-nous vers Zobi ?

— Oui, *mademoiselle.*

— Quand entrerons-nous dans le port ? Cet après-midi ? Ce soir ? Quand, Ali ? répéta Lisa.

— Cet après-midi, je crois, *mademoiselle,* répondit le jeune homme avec circonspection. Mais nous ne jetterons pas l'ancre à Zobi même, ajouta-t-il, incapable de résister à étaler ses connaissances. C'est impossible pour le *Djenoun* d'entrer à Zobi car il y a là un banc de sable. Voilà pourquoi il faut rester un peu à l'écart.

Lisa montra alors sur le pont l'énorme pelle mécanique que les hommes avaient hissée à bord à Bouli.

— Que va-t-on faire de cette machine ? s'enquit-elle.

— Ali haussa les épaules.

— Nous jetons l'ancre à moins de cent mètres de Zobi, *mademoiselle.* On peut donc la transporter sans difficulté sur le sable.

— Je vois.

La jeune fille se trouvait déloyale de le questionner ainsi mais Ali était le seul membre de l'équipage à parler anglais. Peut-être accepterait-il même de l'aider si elle le lui demandait.

— Je donnerais gros pour descendre à terre une fois que nous aurons jeté l'ancre, se hasarda-t-elle. Si je pouvais seulement...

Lisa fit exprès de ne pas terminer sa phrase. Mais Ali était carrément embarrassé. Son expression était la même mais ses yeux, si francs d'habitude, devenaient fuyants tout à coup. Savait-il dans quelle situation difficile se débattait la jeune fille ? Si oui, il craignait suffisamment son patron pour ne pas prendre de risques.

Le valet, évitant avec soin le regard de Lisa, revint à sa première question.

— Je devais vous demander, si vous aviez déjeuné, *mademoiselle*. M. ben Dacra tient à s'assurer que vous mangez convenablement.

— Oui, répliqua Lisa avec un geste impatient. Cependant, je suis beaucoup plus intéressée par ce qui se passera quand nous arriverons à Zobi, Ali. Ne pouvez-vous me le dire ? fit-elle, tentant à nouveau sa chance.

— Non, *mademoiselle*.

Lisa le dévisagea d'abord avec étonnement puis éclata d'un rire bref. Les employés de Yusuf ben Dacra étaient décidément tous dévoués à leur patron !

— Eh bien, je sais au moins à quoi m'en tenir ! Je ne puis compter que sur moi-même !

— *Mademoiselle ?*

Ali semblait intrigué mais Lisa se demanda s'il était aussi perplexe qu'il le laissait paraître.

— N'importe ! répliqua-t-elle en se tournant de nouveau vers la rive. Vous pourriez au moins demander au timonier dans combien de temps nous y serons ?

Ali haussa ses frêles épaules d'un air résigné. Il ne divulguerait rien sans l'accord de son patron mais se montrait malgré tout sympathique à l'égard de la jeune fille. L'attitude du valet était pour elle un réconfort.

Il glissa quelques mots en arabe au vieillard puis annonça :

— Dans une demi-heure, environ.

— Déjà ! s'exclama Lisa avec nervosité.

Elle songeait à Geoffrey et aux autres membres du

groupe qui étaient sûrement déjà sur place et, pour quelque raison obscure, elle souhaitait qu'ils aient changé d'idée. Le jeune homme s'inquiétait probablement à son sujet car elle doutait fort que John Pelham lui ait tout divulgué ; il n'avait en effet jamais particulièrement apprécié Geoffrey. Lisa ne comprenait pas pourquoi ; ne représentait-il pas pour la plupart des parents le parti idéal ?

— Que se passera-t-il quand nous arriverons à Zobi ?

— Je ne saurais vous le dire, *mademoiselle.*

— Ou plutôt vous refusez de le dire ! rétorqua Lisa vivement.

— Je suis désolé, *mademoiselle.*

Lisa soupira et regarda le domestique avec anxiété.

— Vous n'avez pas le droit de me dévoiler s'il y a un téléphone ou un bureau de poste à Zobi ?

Elle n'avait pas terminé sa phrase qu'Ali secouait la tête.

— Il n'y a rien de tout cela, *mademoiselle.* Ce village compte très peu d'habitants.

— Et n'en comptera plus du tout quand votre patron l'aura saccagé ! Trouverai-je un moyen de transport, à part le *Djenoun,* pour quitter le village ?

— Je suis désolé, *mademoiselle.* Je n'ai aucune réponse à vous donner.

Lisa haussa les épaules avec impatience et s'accouda de nouveau au bastingage. Elle entendit bientôt le domestique s'éloigner. Il allait sans doute trouver son patron pour lui rapporter que sa prisonnière s'intéressait non seulement à Zobi mais à la façon d'en échapper. Eh bien, songea-t-elle avec satisfaction, qu'il lui raconte tout ! Que Yusuf sache bien qu'elle tenterait encore une fois de s'enfuir !

Plus le yacht approchait de Zobi, plus le village semblait insignifiant. Cela valait-il la peine de faire tant d'histoires autour de ce minuscule hameau ? se demanda Lisa. Comment ses habitants arrivaient-ils à survivre dans un endroit si dénudé, si inhospitalier ? Pourquoi tenaient-ils tant à y demeurer ?

Le *Djenoun* ralentit devant le village pour se diriger vers son point d'amarrage. Zobi était en effet complètement isolé par un énorme banc de sable autour duquel l'eau tourbillonnait dangereusement.

Rien ne laissait deviner, parmi les cabanes basses, la présence de Geoffrey et des autres membres du groupe. Seuls quelques ouvriers étaient là, interrompant momentanément leur travail pour surveiller l'arrivée du yacht.

Le *Djenoun* se préparait à jeter l'ancre à moins de cent mètres de Zobi dans un port naturel possédant sa jetée. Pourquoi Yusuf n'avait-il pas choisi cet emplacement pour y bâtir son hôtel au lieu de détruire le village ?

Le riche Marocain traversa le pont au même moment, ne remarquant pas la présence de la jeune fille, complètement absorbé par le mouillage du bateau. Lisa, fascinée, surveillait les opérations. Yusuf ben Dacra était partout à la fois, vérifiant la distance et la profondeur, jetant des ordres brefs. Et le *Djenoun* s'immobilisa enfin le long de la jetée.

Une fois les manœuvres terminées, il vint trouver Lisa. Il ne prononça pas une parole au début mais l'observa de façon déconcertante tout en aspirant de longues bouffées de cigarette.

— Les robes de Zeineb sont en effet trop grandes pour vous, dit-il enfin.

Lisa porta aussitôt une main à son encolure qui laissait entrevoir une gorge satinée, dorée par le soleil. L'écharpe ceignant sa taille lui sembla soudain trop souligner ses formes gracieuses. Et comme le regard de Yusuf s'y attardait, la jeune fille sentit le sang affluer à ses joues. Jamais l'admiration d'un homme ne l'avait embarrassée à ce point.

— C'est impossible de faire quoi que ce soit avec ce décolleté, expliqua-t-elle d'une voix rauque. Je n'ai rien pu trouver de plus couvrant, sinon je n'aurai pas hésité.

— La teinte vous sied très bien.

Le compliment anodin prit la jeune fille de court ; elle ne sut que répondre. Et tandis que le Marocain continuait de l'observer, elle sentit son cœur battre follement et un long frisson la parcourir.

— C'est tout de même curieux, énonça Yusuf de sa voix grave, séduisante, que vous paraissiez si fragile, si vulnérable uniquement parce que vous portez une robe trop grande pour vous.

Lisa esquissa un sourire timide. Il ne lui avait jamais parlé sur ce ton ; se laissait-il attendrir ?

— Je me *sens* très vulnérable actuellement, dit-elle, pleine d'espoir. J'ignore ce que vous comptez faire de moi ou combien de temps vous vous proposez de me garder à bord.

Yusuf posa une main ferme et chaude sur le bras de sa prisonnière et celle-ci, sous le contact, se mit à trembler.

— Pour le moment, j'aimerais que vous descendiez à votre cabine, dit-il.

Sous l'effet de la surprise, Lisa, déçue, retira vivement son bras. Pourquoi avait-elle si envie de pleurer tout à coup ? Parce que, pendant un court instant, le Marocain l'avait traitée comme une femme et non comme une indésirable.

— Je ne suis pas une prisonnière, insista-t-elle d'une voix vacillante. Mon père ne le voudrait certainement pas !

Yusuf lui saisit le bras d'une poigne ferme et l'entraîna vers l'escalier.

— Je n'ai pas l'intention de vous enfermer, affirma-t-il en poussant la jeune fille devant lui. Vous n'êtes pas une prisonnière, en effet, mais vous êtes sous surveillance en votre qualité de passagère clandestine et de saboteuse en puissance. Si vous me donnez votre parole, toutefois, de ne plus essayer de vous enfuir du *Djenoun*, je ne mettrai pas un homme de faction devant votre porte.

— Pourquoi ne pouvais-je rester sur le pont? Vous auriez pu tout aussi bien me surveiller là-haut!

— Il n'y a pas de place pour les spectateurs sur le pont; nous avons trop de travail. Je vous prierai de rester ici jusqu'à ce que nous ayons fini de décharger, ajouta-t-il en ouvrant la porte de la cabine.

— Et ensuite? fit Lisa en se tournant vers lui.

— Et ensuite, Miss, vous vous serez suffisamment adoucie, je l'espère, pour accepter de dîner en ma compagnie.

Le Marocain referma la porte, laissant une Lisa trop abasourdie pour trouver une réplique.

Elle se laissa tomber sur son lit. Pourquoi se sentait-elle si troublée à l'idée de partager la table du ténébreux Marocain? N'était-elle pas sa prisonnière, après tout, même si elle n'était pas enfermée à clef?

6

Lisa, cette nuit-là, dormit d'un sommeil profond. Peut-être se sentait-elle moins isolée maintenant que son père savait où elle était.

En outre, la jeune fille avait absorbé au cours du dîner quelques verres d'un vin capiteux qui avait beaucoup contribué à apaiser son humeur belliqueuse. Le repas s'était déroulé dans l'harmonie et une fois ou deux elle s'était même surprise à souhaiter que les circonstances fussent différentes tant elle passait une délicieuse soirée.

L'ambiance agréable de la veille n'avait cependant pas modifié l'opinion de la jeune fille, loin de là. Au réveil, elle était toujours déterminée à s'enfuir, malgré la trêve instaurée par son hôte. Elle devait bien cela à Geoffrey qui s'inquiétait sans doute à son sujet.

Comme Lisa avait du temps libre avant de préparer le déjeuner, elle reprit son poste de prédilection sur le pont. Elle avait trouvé dans la penderie de Zeineb Boudri une tunique à motifs de couleurs vives qui lui arrivait aux genoux et laissait voir ses jambes fines et hâlées. La robe était ample, à manches larges, et décolletée en pointe.

Tout en repoussant une mèche de cheveux de son front, la jeune fille se haussa sur la pointe des pieds pour mieux observer la rive. Le mouvement fit glisser l'épaule de sa tunique et elle ne prit pas la peine de la remonter, heureuse de sentir la brise fraîche sur sa peau moite.

Lisa, depuis le yacht, ne percevait pas trace du groupe. Elle ne voyait que les ouvriers de Yusuf, vêtus de grandes *djellabas* à rayures, en train d'empiler sans se presser des sacs de ciment et des briques. Geoffrey et les autres membres se tenaient probablement à distance, attendant de savoir exactement quelle était la position de la jeune fille sur le *Djenoun* et celle-ci rageait de ne pouvoir entrer en rapport avec eux.

— Demain, nous entreprendrons sa démolition, fit Yusuf d'une voix calme.

Lisa se retourna vivement, suffoquant de surprise.

— Vous ai-je fait peur ? s'enquit-il.

Elle passa la pointe de sa langue sur ses lèvres avant de répondre. Même en plein jour, cet homme la bouleversait.

— Vous ne tiendrez pas compte de nos menaces, si j'ai bien compris ?

Yusuf, accoudé au bastingage, secoua la tête et tendit la main pour remonter l'épaule de sa robe.

— Ne vous l'ai-je pas déjà affirmé ? Vous êtes ma garantie, Miss, une garantie fort efficace puisque je n'ai vu aucun de vos amis jusqu'ici.

— Oh, ils viendront, déclara-t-elle aussitôt. Ils sont sans doute en train d'établir leur plan de campagne. Mais ils viendront, n'ayez crainte ! Et ne vous faites pas d'illusion sur mon compte ! Je tenterai de m'enfuir par tous les moyens !

Une lueur narquoise apparut soudain dans les yeux du Marocain.

— Vous pouvez bien rire ! s'écria-t-elle avec indignation. Rien ne pourra nous arrêter !

— Mais je ne trouve pas ça drôle, *mademoiselle*,

je vous assure, répliqua-t-il d'un ton cassant. Cette situation ridicule ne se serait jamais présentée si vous et vos nigauds d'amis vous étiez mêlés de vos affaires ! Je ne ris pas, Miss, je suis en colère parce que vous m'avez fait perdre mon temps et avez considérablement abusé de ma patience ! Vous êtes très belle, remarqua-t-il simplement d'une voix qui fit vibrer Lisa des pieds à la tête. Mais les belles femmes devraient se contenter d'être belles et ne pas se jeter à corps perdu dans des causes futiles, à l'exclusion de tout le reste. Quand elles le font, *ma chère mademoiselle*, elles peuvent être très ennuyeuses... et vous êtes vous-même très près de le devenir, malheureusement.

Lisa rougit mais fit un effort pour rester calme.

— Si vous me trouvez si ennuyeuse, pourquoi ne me laissez-vous pas descendre à terre ?

Yusuf ben Dacra avait l'art de la piquer au vif et cela la mettait dans une colère noire. Dès qu'il lui faisait un compliment, il s'empressait d'ajouter quelque remarque désobligeante.

— Il est inutile de revenir là-dessus, dit-il en allumant une cigarette. Puis-je vous suggérer de retourner à vos fourneaux, Miss ? Je n'ai reçu aucune plainte de mes hommes au sujet de votre cuisine. Vous possédez donc au moins une qualité féminine... puisque vous êtes assez bonne cuisinière.

— Merci ! rétorqua-t-elle d'un ton sarcastique.

De fait, les commentaires acérés du Marocain la blessaient profondément. A la fois confuse et furieuse, elle regrettait amèrement que la courte trêve de la veille ait dégénéré en guerre ouverte.

— Si j'étais aussi docile, aussi... soumise que vous désirez, fit-elle amèrement, je n'aurais aucune chance contre un... un tyran comme vous.

Lisa était au bord des larmes... larmes de colère, certes, mais de regret également. Elle avait la voix rauque, vacillante, mais préférait tenir tête que d'obéir et descendre à la cuisine.

— Vous pourriez au moins me laisser aller à terre pendant une heure ! poursuivit-elle.

Yusuf secoua la tête.

— Désolé, Miss. Vous n'irez pas tant que vos amis représenteront une menace à mon projet.

— Mais c'est impossible ! lança-t-elle en se retenant pour ne pas éclater en sanglots. Vous pouvez mettre des mois, des années à terminer un projet semblable.

— L'enthousiasme de vos amis tiendra-t-il le coup jusque là ? J'en doute fort ! répondit-il en exhalant une bouffée de fumée. Quoi qu'il en soit, je vous garde à bord aussi longtemps qu'il sera nécessaire. Peut-être aurez-vous appris alors à vous intéresser à d'autres sujets et à délaisser ceux auxquels vous ne comprenez rien.

— Je m'intéresse à Zobi et à vos projets pour ce village ! insista Lisa d'une voix tremblante.

— Vous ne connaissez rien de Zobi ni de ses habitants, sinon vous ne vous seriez jamais lancée dans une aventure aussi absurde ! Et maintenant, vous allez descendre immédiatement à la cuisine ; c'est un ordre. Il se fait tard et mes hommes sont habitués à manger à l'heure. J'ai la réputation d'être un bon patron et je n'ai pas l'intention de la perdre à cause de vous.

— Si vous croyez... commença Lisa.

Mais il était déjà parti. Furieuse, elle le regarda s'éloigner. Elle n'avait pas le choix : il lui fallait obéir.

Deux jours plus tard, Lisa était accoudée au bastingage, plus malheureuse que jamais, quand Yusuf ben Dacra s'approcha d'elle. Son pouls battit plus vite mais elle ne prononça pas une parole.

— Connaissez-vous Tiznit ? s'enquit-il à brûle-pourpoint.

Lisa tourna vivement la tête. Une nuance dans la voix du Marocain lui avait redonné espoir.

— J'en ai entendu parler, répondit-elle d'une voix altérée. Pourquoi ?

Les yeux de son geôlier regardaient au loin, au-delà du village.

— C'est à quelques kilomètres d'ici, fit-il.

Le cœur de Lisa se mit à battre à une cadence folle dans sa poitrine.

— Cela vous plairait-il de faire une promenade en voiture jusqu'à Tiznit ? demanda-t-il.

— Oh, oui ! s'écria-t-elle, ses yeux bleus brillant de joie à cette perspective. Tout de suite ?

— Bientôt.

— Cette robe n'est pas tout à fait de mise, dit-elle après avoir jeté un coup d'œil sur sa tunique aux teintes vives.

Yusuf l'observa un moment d'un regard appréciateur.

— Cette robe vous sied à merveille, répliqua-t-il d'une voix calme tout en remontant l'encolure de la jeune fille comme il l'avait fait plus tôt.

Lisa fut prise d'un frémissement incontrôlable en sentant la main du Marocain sur son épaule nue.

— Mais dans les circonstances, peut-être serait-il préférable de revêtir vos propres vêtements, suggéra-t-il. Vous avez tout votre temps.

— Qui me conduira ? s'enquit Lisa d'une voix mal assurée. Vous ?

A l'idée de monter en voiture à ses côtés, elle ressentait une sensation curieuse au creux de l'estomac. Elle ne songeait plus à s'enfuir, mais rêvait de partir à la découverte d'une oasis dont elle avait souvent entendu vanter les beautés.

— Est-ce que cela vous enlèverait le goût d'y aller, par hasard ? la défia-t-il d'une voix douce.

— Non, fit Lisa en secouant la tête. J'aimerais aller à Tiznit, peu importe qui m'y conduit.

— Ah ! Le romantisme d'une oasis en plein désert, n'est-ce pas ? fit le ténébreux Marocain, les yeux empreints d'une lueur amusée. Tiznit est située en bordure du Sahara ; c'est en effet une oasis, mais bien différente de ce que vous imaginez, je crois.

Lisa toujours sur la défensive, avait les yeux tournés vers Zobi de crainte de rencontrer le regard troublant de Yusuf ben Dacra.

— Le désert exerce une fascination indicible sur les gens qui n'y sont jamais allés, insista-t-elle. Peut-être parce qu'en Europe nous ne possédons rien de semblable.

— Le désert fascine également ceux qui le connaissent bien, ajouta Yusuf.

D'après son profil aquilin, sa peau mate, son geôlier tenait plus de sa mère d'origine marocaine que de son père français, songea Lisa en l'observant.

— Connaissez-vous bien le désert ? s'enquit-elle.

— Très bien. Ma mère est originaire de la tribu des R'Guibat ; quelques membres de sa famille mènent encore une existence de nomades. Je leur rendais visite quand mes grands-parents vivaient encore et venaient à Goulimine.

— Les R'Guibat ? répéta Lisa avec curiosité, se demandant en quoi ce nom lui était familier.

— Les Hommes Bleus, expliqua-t-il. Vous en avez sûrement entendu parler.

— Oui, bien sûr, dit-elle, songeant tout à coup combien Yusuf était différent quand il abordait d'autres sujets que ses affaires ou les défauts de sa prisonnière. Quel dommage de ne pas nous rendre jusqu'à Goulimine !

Le Marocain aspira longuement une dernière bouffée de cigarette avant de jeter son mégot à l'eau.

— Quand j'aurai réglé mes affaires à Tiznit, nous pourrons faire un tour à Goulimine, si vous le désirez. Cela vous plaîrait-il ?

— Oui, oh, oui ! s'exclama-t-elle, son cœur battant à grands coups comme si elle venait de courir une longue distance. Vous avez des affaires à régler à Tiznit, m'avez-vous dit ?

— En effet, acquiesça-t-il. Mais ce ne sera pas très long.

Pourquoi, songea Lisa, l'amenait-il à Tiznit et à Goulimine ? Quel était le motif réel de cette promenade en voiture ? Il aurait pu la laisser à bord du *Djenoun* tandis qu'il réglait ses affaires ; mais il courait le risque de la voir échapper à la surveillance des hommes d'équipage. En la gardant près de lui, au contraire, il était sûr qu'elle ne s'enfuirait pas. C'était logique et Yusuf ben Dacra n'était-il pas la logique même ? Mais tout en frottant pensivement son index sur le rebord du bastingage, elle souhaita ardemment que le Marocain ne l'emmenât pas uniquement pour cette raison.

— Et si j'avais refusé de vous accompagner ? s'enquit-elle d'une voix sourde.

Yusuf posa sa main sur celle de la jeune fille et la pressa avec douceur.

— J'aurais été très déçu, dit-il simplement.

Lisa ferma les yeux pendant un instant, incroyablement soulagée soudain.

Et pour la première fois depuis leur rencontre, elle lui adressa un sourire sincère.

— Dans ce cas, fit-elle, je ferais bien d'aller me changer.

Yusuf avait eu raison. Tiznit n'était pas du tout comme elle l'avait imaginée. Mais Lisa ne fut pas désappointée, au contraire. De loin, on aurait dit un décor de théâtre. C'était une ville fortifiée, avec ses remparts, ses tours, ses palmiers se détachant sur le ciel bleu.

Yusuf régla ses affaires en très peu de temps et retrouva la jeune fille en train d'admirer l'une des six portes monumentales donnant accès aux fortifications. Il avait fait quelques achats car il portait des paquets sous le bras.

Ils remontèrent aussitôt dans la Land Rover pour se diriger vers Goulimine.

— Cela ne vous ennuie pas, j'espère, d'aller à Goulimine ? s'enquit-elle une fois qu'il eût démarré.

Le Marocain posa sur Lisa un regard impénétrable.

— Je ne vous aurais pas offert de vous y emmener si je n'avais pas eu envie d'y aller, affirma-t-il.

Lisa commençait à le connaître ; il disait la vérité, elle en était convaincue.

La route était longue, beaucoup plus qu'elle ne l'aurait cru. Mais comme ils avaient quitté le yacht assez tôt et n'avaient pas perdu de temps à Tiznit, ils seraient de retour sur le *Djenoun* à la tombée de la nuit, si tout se passait bien.

Ils traversèrent le col de Tizi Mighert puis une forêt d'arganiers épineux où broutaient des chèvres. Enfin, les dernières collines dénudées de l'Anti-Atlas disparurent pour faire place à une plaine sans fin. Lisa vivait son premier contact avec le désert.

Jamais elle n'avait vu une étendue aussi vaste ; et elle soupira de soulagement en son for intérieur quand une palmeraie apparut à l'horizon.

— Est-ce une oasis ? s'enquit-elle.

— Oui, mais ce n'est pas Goulimine. Il reste encore quinze kilomètres à parcourir.

— Est-ce donc si loin ? s'étonna-t-elle.

Yusuf esquissa un sourire.

— Ce ne sera plus très long, vous verrez, promit-il. Quelle est votre première impression du désert ?

Lisa hésitait ; elle ne voulait pas se prononcer trop vite.

— C'est... impressionnant, confessa-t-elle.

— Et vous n'avez encore rien vu. Le vrai Sahara commence au-delà de Goulimine.

— Là où vit encore la famille de votre mère, fit-elle.

Yusuf opina de la tête sans dire un mot.

Ils pénétrèrent enfin dans Goulimine. A l'intérieur des murailles imposantes s'élevaient des maisons de terre rouge. La ville était un peu plus étendue que ne l'avait cru Lisa à première vue.

Deux hôtels et quelques restaurants desservaient la clientèle européenne. Mais Goulimine était avant tout l'endroit où les R'Guibat venaient chaque samedi et chaque dimanche vendre leurs produits dans les *souks.*

Lisa avait entendu parler des Hommes Bleus. Depuis quatre cents ans, soit depuis qu'un marchand anglais leur avait fait connaître un coton indigo, les membres de la tribu portaient les mêmes robes, les mêmes turbans teints dans ce bleu particulier qui colorait même leur peau. Ce phénomène les distinguait facilement de toutes les autres tribus du désert.

Ce n'était malheureusement pas jour de marché et la jeune fille ne put donc être témoin de l'arrivée des nomades du Sahara.

Il y avait néanmoins beaucoup à voir. Objets d'artisanat typiquement marocains... chaudronniers, maroquiniers, orfèvres travaillant dans leurs petites échoppes de terre rouge...

Lisa était fascinée. Mais un article toutefois attira particulièrement son attention ; elle ne pouvait en détacher son regard. C'était un lourd bracelet en argent comme en portent les femmes du désert. D'un dessin primitif mais d'une beauté à couper le souffle.

— Il vous plaît ?

Elle leva les yeux vers Yusuf ; celui-ci lui désignait le bracelet d'une inclinaison de la tête. La jeune fille acquiesça, sans se douter un seul instant des conséquences de son geste.

— J'ignore pourquoi, admit-elle avec un rire vacillant. J'adore ce type d'objet. Primitif, grossier, mais de toute beauté.

L'explication plut à Yusuf ; elle le vit à son sourire. Mais quand il adressa la parole au commerçant, elle comprit soudain la raison de sa question. Secouant la tête, elle tenta de l'interrompre mais en vain. D'une part, il n'était pas facile de couper la parole à Yusuf ben Dacra. D'autre part, il était déjà en train de marchander comme l'exigeait la coutume.

Les deux hommes se mirent à discuter avec force gestes au sujet du bracelet. Lisa tenta d'intervenir avant qu'il ne fût trop tard ; mais Yusuf, d'un mouvement de la main, la réduisit au silence. Et le marchandage continua.

Ils convinrent enfin d'un prix. Yusuf sortit son portefeuille et tendit au commerçant le nombre voulu de *dirhams*. La jeune fille attendait avec anxiété ; elle n'avait pas suffisamment d'argent pour le payer et elle ne savait si elle devait consentir à recevoir ce cadeau.

— Je ne puis accepter, murmura-t-elle.

L'orfèvre regardait le couple avec curiosité, intrigué par cet homme si grand, si brun accompagnant cette jeune fille si frêle, si blonde.

— Ce n'est pas...

— En préféreriez-vous un autre ? répliqua Yusuf.

— Je n'avais pas l'intention d'acheter quoi que ce soit.

Yusuf prit la main de Lisa et glissa le bracelet d'argent à son poignet d'un geste caressant.

— Vous ne l'avez *pas* acheté.

La jeune fille, éblouie, ne sachant que répondre, regardait son lourd bijou tandis que le ténébreux Marocain l'observait avec une douceur infinie.

— Vous ne pouvez... enfin, je ne puis vous laisser m'acheter un cadeau semblable, insista-t-elle, en tentant de cacher le plaisir qu'elle éprouvait à le porter. Il est très beau, je l'aime beaucoup mais je n'ai jamais accepté de présent d'un homme... Cela doit vous paraître bien illogique, n'est-ce pas ?

— Vous ferez une exception pour cette fois-ci, je l'espère. Ce serait dommage de vous priver d'un objet dont vous avez tant envie pour des principes aussi vieux jeu.

Lisa leva les yeux vers lui, la bouche entrouverte, prête à lui rappeler qu'il était lui-même très vieux jeu. Mais une lueur dans le regard de Yusuf ben Dacra la subjugua. Au lieu de parler, elle se mit à examiner son bracelet. Il ressemblait à des fers à la fois par sa forme et par son poids, songea-t-elle soudain. Elle ne s'en séparerait pour rien au monde.

— Il est très beau, dit-elle. Je vous remercie.

Quand ils arrivèrent au *Djenoun,* la nuit était tombée. Et tandis que la Land Rover parcourait les derniers cent mètres en direction de la jetée, Lisa se remémorait sa journée.

Sans en comprendre la raison, elle avait l'impression que son existence avait été bouleversée en l'espace de quelques heures. Yusuf et elle n'avaient pas échangé une seule parole désagréable, le Marocain s'était montré un guide parfait et lui avait même offert un bracelet. Mais cela ne suffisait pas à expliquer pourquoi la jeune fille éprouvait cet étrange sentiment de satisfaction.

La lune était presque pleine ; elle se reflétait sur la surface de l'onde en de longs frissons dorés.

Le cadre était si idyllique, si romanesque avec les palmiers de Zobi au premier plan que Lisa oublia pendant un moment les petites cabanes dont elle avait défendu le sort avec tant d'acharnement.

La jeune fille poussa un soupir à peine perceptible. Mais Yusuf l'avait sûrement entendu, car il tourna la tête et lui jeta un bref coup d'œil avant de freiner.

— Regrettez-vous d'être rentrée ? demanda-t-il en lui tendant la main pour l'aider à descendre.

Lisa l'attendit sur le quai tandis qu'il prenait sur la banquette arrière les quelques paquets achetés à Tiznit.

— Oui, admit-elle en lui emboîtant le pas. Après tout, je suis toujours votre prisonnière même si j'ai réussi à l'oublier pendant quelques heures.

— Ne vous avais-je pas menacée de vous mettre aux fers ? fit Yusuf en touchant le bracelet d'argent pendant que Lisa éclatait d'un rire gai.

La passerelle était jetée mais il n'y avait personne sur le pont. Soudain, Ali surgit des ténèbres.

Il s'inclina légèrement devant Lisa puis adressa la parole à son patron. Le domestique désirait peut-être empêcher la jeune fille d'entendre la conversation en utilisant l'arabe mais celle-ci, malgré le discours inintelligible, malgré l'accent prononcé d'Ali, reconnut le nom de Geoffrey.

Elle se tourna vers Yusuf. Pourquoi était-elle si nerveuse soudain à l'idée que Geoffrey ou les membres du groupe aient pu venir pendant leur absence ? Elle posa timidement une main sur le bras du Marocain ; ce dernier se retourna vivement, les sourcils froncés, se demandant probablement dans quelle mesure il pouvait lui faire confiance. Après cette après-midi si agréable, il était dur de revenir à la réalité, pensa Lisa tristement.

— Geoffrey est-il ici ? s'enquit-elle d'une voix si peu enthousiaste que Yusuf la regarda d'un air étrange. Je croyais avoir entendu Ali dire...

— Il est venu, en effet, répliqua-t-il brièvement. Il est arrivé peu après notre départ ; il était seul et a demandé... a exigé de vous voir.

A entendre le riche Marocain, on aurait dit qu'il avait tous les droits de s'opposer à ce que quelqu'un demande la jeune fille.

— C'est bien ce que je pensais, continua-t-il avec satisfaction. Votre présence à bord sert de garantie.

— Les autres ne sont donc pas venus à Zobi ? s'enquit-elle, avec un sentiment de traîtrise. En effet, elle souhaitait presque que les membres n'aient pas suivi Geoffrey.

— Personne ne les a vus. Votre... ami est probablement ici parce qu'il est impliqué plus personnellement dans l'affaire. A moins qu'il ne soit venu en éclaireur. Avec un peu de chance, il les aura incité à abandonner.

Lisa, elle, était plus inquiète.

— J'en doute fort. Le sort de Zobi leur tient trop à cœur. Ma présence sur votre yacht ne les empêchera pas d'agir.

La jeune fille se tourna vers Zobi. On avait allumé là-bas un grand feu autour duquel les ouvriers mangeaient paisiblement. Elle souhaitait maintenant que rien ne vînt bouleverser la quiétude de ce village. Elle s'était engagée dans cette action avec des idées préconçues, elle s'en rendait bien compte. Et maintenant, la situation risquait de se détériorer. Craintive, elle se rapprocha de Yusuf comme pour y trouver un réconfort.

— Je... je n'aime pas l'idée d'une bataille rangée, se hasarda-t-elle.

Le riche Marocain l'observa un moment avant de répondre.

— Je ne crois pas qu'on en arrive là. Vos amis possèdent suffisamment de jugement pour reconnaître qu'ils ne peuvent gagner contre les ouvriers de Zobi et l'équipage du *Djenoun.*

Lisa comprit alors pourquoi le pont était désert.

— Vous les avez tous envoyés à Zobi au cas où le groupe attaquerait ? s'enquit-elle.

— Attaqueront-ils ? répliqua Yusuf avec douceur.

— Je n'en sais rien, fit Lisa après avoir hésité quelques secondes. Je n'en sais rien, je vous le jure ! s'écria-t-elle en voyant le Marocain froncer les sourcils.

— Me l'avoueriez-vous si vous étiez au courant ? demanda-t-il sur le même ton persuasif.

— Je l'ignore, confessa-t-elle.

— Ils ne feront rien ce soir ; cela m'étonnerait, la rassura Yusuf avec le sourire. De toute façon, les hommes sont là-bas et veillent. Nous pourrons déguster notre dîner sur le pont au clair de lune sans craindre d'être dérangés. A moins que vous ne refusiez de manger en ma compagnie, Lisa ? ajouta-t-il d'une voix grave.

Le cœur de la jeune fille battait de façon désordonnée ; elle crut défaillir d'émotion. Pour garder contenance, elle jeta un coup d'œil sur la chemise et le pantalon qu'elle avait portés tout l'après-midi. Elle aurait aimé enfiler une robe de soirée pour dîner avec Yusuf mais elle n'en avait vu aucune dans la penderie de sa sœur.

— Je ne refuserai pas, déclara-t-elle d'une voix mal assurée. Ce sera une façon agréable de terminer une journée exquise.

Yusuf lui jeta un coup d'œil impénétrable et lui fit signe de le précéder dans l'escalier.

— Que porterez-vous ? s'enquit-il comme ils arrivaient devant la cabine de la jeune fille.

Celle-ci se retourna mais avant même de pouvoir répondre, il lui avait remis un paquet entre les mains.

— Vous avez porté jusqu'ici les vêtements de Zeineb. Vous pouvez très bien continuer.

— Qu'est-ce que c'est ?

— Allez, prenez-le, insista-t-il. Je rapporte de chaque voyage un souvenir à ma sœur. Cette fois-ci, je lui acheté un *cafetan* à Tiznit. Même s'il est trop grand, cela importe peu pour ce genre de vêtement.

— Oh, mais je ne puis accepter un cadeau destiné à votre sœur, protesta Lisa. Je ne pourrais même pas l'emprunter.

— Vous le porterez, insista Yusuf. Zeineb n'a pas besoin d'un nouveau *cafetan* tandis que vous avez besoin de quelque chose pour vous remonter le moral. Elle serait la première à vous l'offrir d'ailleurs. Pour me faire plaisir ? murmura-t-il avec persuasion.

— J'espère que vous avez raison, dit-elle, les mains tremblantes. Merci, Yusuf, ajouta-t-elle en ouvrant la porte de sa cabine.

Elle l'avait appelé par son prénom... automatiquement, sans s'en rendre compte.

— *De rien, ma chère*, dit-il avec douceur.

Et sur ce, il prit la main de Lisa, la porta à sa bouche et y appuya tendrement les lèvres.

Il y avait longtemps que Lisa ne s'était sentie aussi belle.

Le *cafetan* de brocart rouge vermeil était rehaussé de dessins brochés en fils argent et donnait un éclat tout particulier à son teint.

Après s'être coiffée avec soin, elle courut se regarder une dernière fois devant la glace avant de monter rejoindre Yusuf sur le pont. Le *cafetan* lui seyait à merveille. La longueur était parfaite, songea-t-elle en apercevant l'extrémité de ses sandales sous le vêtement ample. Mais soudain, elle fronça les sourcils.

Zeineb Boudri était beaucoup plus grande qu'elle ; son frère le lui avait affirmé et d'ailleurs Lisa s'en était rendu compte à ses robes. Pourquoi Yusuf, qui semblait s'y connaître en matière de mode féminine, avait-il choisi pour sa sœur un *cafetan* trop court, parfaitement adapté, par contre, à sa petite taille à elle.

La jeune fille sourit devant son image dans la glace ; ses yeux étincelèrent. Elle tourna machinalement son bracelet et le contact lui rappela très nettement la douce caresse des doigts de Yusuf quand il le lui avait glissé au poignet.

Lui avouerait-elle ou non, avoir deviné sa supercherie à propos du *cafetan ?* Non, pas encore. Elle était ravie... dans sa longue robe de brocart rouge et argent, jamais elle n'avait été plus resplendissante... et à l'idée de dîner au clair de lune en compagnie de l'homme qui la lui avait offerte, elle était troublée jusqu'au plus profond de son être.

7

Yusuf était déjà sur le pont quand Lisa arriva. Devinant sa présence, il fit volte-face et jeta à la mer la cigarette qu'il avait aux lèvres. La jeune fille l'avait souvent vu faire ce geste et elle ressentit à le voir de nouveau une étrange sensation d'intimité.

Le Marocain s'était lui aussi vêtu avec recherche pour la circonstance. Grand, mince, viril, il était par essence un homme impressionnant. Mais ce soir-là, cela semblait plus évident encore.

Il avait endossé, sur une chemise crème et une cravate marron, un costume blanc — le même probablement que la première fois où leurs routes s'étaient croisées — qui rendait son visage sensuel plus mat encore.

Yusuf déshabilla la jeune fille du regard tandis qu'elle s'approchait de lui, les jambes vacillantes. Malgré sa nervosité, elle réussit tout de même à esquisser un sourire.

— Quelle nuit magnifique ! fit-elle en s'accoudant au bastingage pour admirer la lumière dorée de la lune sur l'océan immense.

Yusuf ne répondit pas mais lui adressa un sourire tendre découvrant des dents éclatantes.

Ali apparut sur ces entrefaites ; le riche Marocain

offrit le bras à Lisa et la conduisit vers la table où étaient disposés deux couverts.

Les plats étaient prévus pour aller avec le décor romantique ; Lisa avait l'impression de flotter sur un nuage, d'être isolée avec Yusuf du reste de l'univers.

Ali les servait avec discrétion, comme toujours, emplissant les verres d'un vin blanc léger. Et quand il disparut après avoir posé la cafetière sur la table, il laissa dans son sillage une curieuse sensation d'attente.

Trop nerveuse pour supporter le silence, Lisa porta son verre à sa bouche sans pourtant y tremper les lèvres ; et évitant soigneusement les yeux veloutés qui la regardaient de façon soutenue, elle déclara avec fièvre :

— Je me sens toute différente dans cette robe. Elle est si... si exotique.

— Elle vous va merveilleusement.

Lisa ne put alors s'empêcher de remarquer avec une moue espiègle :

— Elle est exactement à ma taille.

Elle éclata d'un rire doux et avala une gorgée de vin.

Il n'était pas facile de décontenancer Yusuf, se dit-elle. Ce dernier, son verre dans une main, son éternelle cigarette dans l'autre, semblait tout à fait sûr de lui.

— J'aime quand mes femmes sont belles, dit-il.

Lisa fut bouleversée en entendant cette phrase. Elle ne répondit pas. La situation était trop provocante. Un long frisson la parcourut tout entière tandis qu'elle prenait une autre gorgée de vin pour ne pas avoir à croiser le regard du Marocain. Soudain un bruit étouffé, lointain lui rappela que le village n'était qu'à quelques mètres. Elle saisit son verre à deux mains en tremblant ; c'était impossible d'oublier Zobi même si elle souhaitait de tout cœur être capable de le faire.

— J'espère qu'il ne se passera rien de grave là-bas, fit-elle d'une voix rauque.

Yusuf observa pensivement la jeune fille puis écrasa sa cigarette dans le cendrier. Il avala ensuite un peu de vin comme s'il voulait prendre le temps de réfléchir à ses paroles.

— Vous ne savez rien de Zobi, n'est-ce pas, Lisa ?

Elle secoua la tête ; le sort de Zobi venait malheureusement troubler une soirée inoubliable.

— Vous me l'avez affirmé, lui rappela-t-elle. Je ne sais plus très bien où j'en suis, je vous l'avoue. Je sais ceci : le village sera rasé pour faire place à un hôtel de luxe. Serait-ce faux ?

Elle souhaitait presque s'être trompée, même si cela devait rendre les protestations de Balek inutiles. Yusuf mit un certain temps avant de répondre.

— Fondamentalement, c'est la vérité, admit-il. Zobi sera détruit de fond en comble et un hôtel sera bâti sur son emplacement.

Lisa leva les yeux et le regarda sans comprendre.

— Mais alors ? répliqua-t-elle.

— Ce n'est pas aussi... barbare que vous le prétendez, néanmoins.

— De démolir des maisons pour les remplacer par un hôtel ? lança-t-elle d'un ton de reproche. Oh, Yusuf, vous ne parlez pas sérieusement !

— Si, rétorqua-t-il.

Lisa ne savait que penser. Comme elle aurait voulu le croire, même si cela donnait tort au groupe !

— Dites-moi où je... où sommes-nous fautifs ? demanda-t-elle.

La proximité du Marocain attisait les sens de la jeune fille ; et tremblante, les yeux baissés, elle attendit sa réponse.

— Si j'ai bien compris, vous contestez le fait que je démolisse ce village pour y ériger un hôtel.

— Vous connaissez nos objections, fit Lisa.

Yusuf aspira longuement une bouffée de cigarette avant de poursuivre.

— En effet, vous vous êtes montrée plutôt catégorique, répondit-il en souriant tristement. Votre opposition m'a étonné dès le départ, confessa-t-il. J'ai cependant fini par comprendre que vous ne connaissiez rien de la situation. Le village périclite de jour en jour depuis plusieurs années ; le saviez-vous ? Son sol est aride et ne suffit même pas à nourrir la population.

Lisa l'observait avec gêne ; son cœur battait si fort qu'elle en suffoquait.

— Mais nous l'ignorions ! Comment aurions-nous pu le deviner ?

— Ce n'était pas plus difficile de l'apprendre que d'être au courant de mes projets, fit-il avec une nuance de dérision dans la voix.

— Mais... que faites-vous des habitants ? Même s'ils sont pauvres, même s'ils vivent chichement, Zobi est leur village. Ils n'ont plus rien, maintenant que leurs maisons sont démolies.

— En êtes-vous bien certaine ?

Lisa avait les idées si embrouillées qu'elle avait du mal à réfléchir clairement. Le riche Marocain n'était donc pas un monstre après tout ? Elle éprouva un soulagement immense, même si cela indiquait que le groupe s'était trompé. Elle secoua la tête sans mot dire et laissa Yusuf continuer son récit.

— Mon père possède des terres à l'intérieur, non loin de Zobi. Le sol y est plus fertile. Les habitants perdront leur village ancestral au bord de la mer mais hériteront d'un autre village, beaucoup plus riche. C'est un échange équitable ; nous avons besoin de cet emplacement sur l'océan et les villageois, eux, d'une terre plus féconde. Le troc a longtemps été la base de l'économie de notre pays, Lisa. Ce n'est pas nouveau pour nous.

Lisa était stupéfaite ; elle resta un bon moment sans parler, tentant de mettre ses idées en ordre.

— Donc... donc aucun villageois n'a été évincé par la force afin de permettre la construction de votre hôtel ?

Yusuf secoua la tête et s'alluma une autre cigarette.

— Non.

Lisa se sentait soudain toute timide ; elle croisa ses mains sur la table pour les empêcher de trembler. Yusuf tendit le bras et posa une main sur celles de la jeune fille.

Elle aurait voulu lui dire combien elle était désolée mais la caresse du Marocain la troubla si profondément qu'elle demeura silencieuse.

Puis elle esquissa un sourire gauche, hésitant, qui transforma et adoucit son regard.

— Je vous connais très peu, je m'en rends bien compte, se hasarda-t-elle d'une voix timorée. Dites-moi qui vous êtes, Yusuf ?

Etait-il indisposé de se faire questionner ainsi ? Sûrement pas puisqu'il continuait de lui sourire tendrement.

— Parlez-moi d'abord de vous, insista-t-il. Vous êtes une enfant unique n'est-ce pas ?

Lisa opina de la tête.

— Voilà probablement pourquoi je suis gâtée, commença-t-elle avec défi sans toutefois susciter de réaction chez le Marocain.

Elle lui raconta alors son enfance, la pension. Yusuf l'écoutait avec intérêt.

— Ma mère est morte il y a quelques années, termina-t-elle ; je suis allée vivre chez une tante jusqu'à l'an dernier. Puis j'ai quitter l'Angleterre pour rejoindre mon père à Casa. Vous connaissez la suite.

— Et vous avez un fiancé ? Ce Geoffrey Mason ? s'enquit-il, sans la regarder, en resserrant imperceptiblement son étreinte.

— Ce n'est pas mon fiancé. Nous avons fait connaissance lors d'une réunion du groupe et il...

— Et il est tombé amoureux de vous, suggéra Yusuf avec douceur. Cela ne m'étonne guère, ajouta-t-il en portant la main de Lisa à ses lèvres.

Le cœur de la jeune fille battait si fort qu'elle eut du mal à entendre sa propre voix.

— J'ignore s'il m'aime, dit-elle. Mais moi, je ne suis pas amoureuse de lui. Je... l'aime bien... comme un ami... sans plus.

Lisa regarda Yusuf dans les yeux sans ciller ; elle tenait à tout prix à l'en convaincre.

— Assez parlé de moi, continua-t-elle. A vous, maintenant.

— Y tenez-vous vraiment ?

Lisa opina fermement de la tête.

— Le cheik Abahn est votre... père adoptif, n'est-ce pas ?

Elle avait failli prononcer « beau-père » mais s'était retenue à temps ; elle ne voulait pas lui dévoiler qu'Ali lui avait parlé de sa famille.

— Mon beau-père, confirma Yusuf. Mon vrai père était originaire de Poitiers... il était ingénieur civil comme moi, mais je l'ai très peu connu. Il s'appelait Joseph d'Acra. Mon nom actuel est donc un nom français arabisé. Ma mère est une cousine éloignée de mon... du cheik Abahn, elle l'a épousé en secondes noces ; il était lui-même veuf. Ils ont une fille, ma sœur Zeineb, de votre âge, à peu près. Mais vous savez déjà tout ceci, je présume ? C'était sûrement dans votre dossier !

— Je n'avais pas de dossier, avoua Lisa, confuse en se rappelant combien elle savait peu sur lui quand elle s'était lancée dans cette aventure. Nous... avions entendu parler de... de votre projet. Nous... je ne connaissais rien de vous.

— Et maintenant ?

— Je vous comprends mieux, je crois.

— Dans l'intérêt de nos relations futures, espérons-le...

Lisa frissonna en entendant cette dernière phrase. Et pour ne pas perdre contenance, elle changea rapidement de sujet.

— Quand avez-vous rencontré mon père pour la première fois ?

— Il y a plusieurs années ; mais mon père le cheik le connaît mieux que moi.

Lisa grimaça.

— Si je n'avais pas toujours découragé papa de parler de son travail à la maison, j'aurais su davantage sur vous et quel...

— Quel ogre j'étais ? suggéra Yusuf avec douceur.

— Je n'ai pas dit cela ! nia-t-elle énergiquement. Pas un ogre... non, je n'ai pas dit cela !

Le Marocain se leva brusquement de table et, saisissant la main de Lisa, l'entraîna au bastingage où ils s'accoudèrent un long moment sans dire un mot pour admirer la lune et la mer. Puis il se tourna, porta la main de la jeune fille à ses lèvres et effleura sa paume d'un long baiser suggestif.

— Ma toute petite, si chagrine de m'avoir mal jugé, chuchota-t-il. Si vulnérable... si... *charmante*, n'est-ce pas, Lisa ?

— Yusuf...

Elle ne savait comment formuler sa phrase. Elle aurait voulu s'excuser de s'être trompée à son sujet, l'assurer qu'elle empêcherait le groupe de poser un geste irrémédiable. Et tandis qu'elle restait là, immobile, à chercher ses mots, Yusuf se pencha et l'embrassa délicatement sur sa nuque douce, au creux de l'oreille.

Lisa tentait de conserver son sang-froid mais le Marocain la bouleversait. Elle leva la tête vers lui et d'une main timide toucha sa chemise, sentant, à travers la soie, la chaleur de son corps viril, les battements de son cœur.

Yusuf prit de nouveau la main de la jeune fille dans la sienne et posa des lèvres fiévreuses sur sa paume. Lisa était parcourue d'émotions nouvelles qui la faisaient tressaillir de volupté.

— Lisa ? murmura-t-il à son oreille. Voulez-vous faire quelque chose pour moi, *petite ?*

Elle acquiesça aussitôt, sans hésiter.

— Quelque chose que vous ne désirez pas faire ? poursuivit-il.

Elle répéta son geste, prête à tout pour cet homme.

— Laissez-moi... Allez à votre cabine.

Elle suffoqua. Interloquée, déçue, elle chuchota :

— Vous... vous voulez que je parte ?

Yusuf se pencha vers elle et posa un long baiser au creux de sa main.

— Ce n'est pas que je le désire, Lisa, mais je n'ai pas le choix. J'ai promis à votre père que vous étiez en sécurité à bord du *Djenoun*. Voudriez-vous donc me voir manquer à ma parole ?

— Yusuf...

— J'ai donné ma parole, insista-t-il.

Il agissait contre son gré, c'était évident. Prenant les deux mains de la jeune fille, il la repoussa gentiment tout en la regardant avec passion.

— Bonne nuit, Lisa, murmura-t-il. Aidez-moi à tenir ma promesse.

Lisa comprenait son dilemme mais refusait de partir ainsi. Elle retira ses mains de celles du

Marocain, les posa sur ses épaules larges et, se haussant sur la pointe des pieds, l'embrassa tendrement sur la bouche.

— Lisa !

Il lui saisit les mains mais la jeune fille, pour l'aider à respecter son serment, s'esquiva rapidement. Rendue à l'escalier, elle se retourna et lui adressa un sourire ravissant.

— Bonne nuit, fit-elle.

Il ne la suivrait pas, elle en était sûre, car Yusuf ben Dacra était un homme d'honneur. Mais elle se plaisait à imaginer qu'il était tenté de le faire. Et en descendant l'escalier, elle souriait toujours. Qui aurait cru que ce dîner en compagnie du Marocain allait se terminer ainsi ? Comment aurait-elle pu prévoir, quand elle s'était introduite clandestinement à bord du *Djenoun*, que...

— Lisa !

Elle sursauta. Avait-elle réellement entendu une voix l'appeler ? Cela semblait venir d'une encoignure située entre la cuisine et la salle à manger. Ce n'était certainement pas Yusuf et jamais Ali ne se serait permis de l'appeler par son prénom.

— Qui est-ce ? s'enquit-elle à voix basse.

Une ombre sortit des ténèbres.

— Geoffrey ! s'exclama-t-elle.

— Chut !

Lisa faillit éclater de rire tant la situation tenait du mauvais mélodrame. Le jeune homme était vêtu de noir des pieds à la tête ; il était littéralement sinistre et son visage n'avait jamais paru aussi sévère.

— Je suis venu vous chercher, chuchota-t-il. Venez, ma chérie, pendant qu'il n'y a personne.

— Non, Geoffrey... c'est impossible !

Il fronça les sourcils pendant un instant, n'en croyant pas ses oreilles.

Quelques jours auparavant, Lisa l'aurait accueilli à

bras ouverts, heureuse de pouvoir s'évader ; mais maintenant, si elle s'enfuyait avec Geoffrey, Yusuf n'en comprendrait pas la raison.

— Impossible ? Comment cela ? demanda-t-il d'une voix enrouée en agrippant le poignet de Lisa.

Comme il semblait tendu, songea-t-elle. Il avait couru un grand risque en venant la chercher ; il ne comprendrait jamais pourquoi elle refusait de le suivre si elle ne lui expliquait pas en quoi ils s'étaient trompés au sujet de Yusuf et de Zobi.

— Geoffrey, nous avons eu tort de blâmer Yusuf, fit-elle rapidement.

Elle était si désireuse de le convaincre qu'elle ne vit pas le jeune homme ciller en l'entendant nommer le Marocain aussi familièrement.

— Nous avons fait erreur... continua-t-elle.

— Que diable vous a-t-il laissé croire ?

Lisa détourna vivement le regard.

— La vérité ! murmura-t-elle d'une voix rauque. Zobi ne sera pas saccagé, Geoffrey. Cela n'a jamais été dans ses intentions.

— Et vous croyez cela ?

Lisa opina de la tête, désespérant de le convaincre.

— Parce que c'est *lui* qui vous l'a dit ? poursuivit-il d'un ton glacial.

— Je le crois, Geoffrey. Il n'est pas du tout l'homme que je... que nous croyions. Il se soucie des habitants de Zobi, au contraire, et il... et son père et lui font leur possible pour leur venir en aide.

— Grands dieux !

Lisa n'avait jamais vu cette lueur dans les yeux de son ami et soudain elle prit peur.

— Il est temps que vous rentriez chez vous ! déclara-t-il sèchement. J'ignore ce qu'il a pu vous raconter mais vous divaguez ! Venez, Lisa, avant qu'il ne soit trop tard !

— Non, non, je ne le puis !

Geoffrey ne broncha pas mais il tenait toujours le poignet de la jeune fille avec fermeté.

— Je n'ai pas le temps de m'attarder, répliqua-t-il d'une voix blanche. Allons-y !

Et sur ce, le jeune homme la tira si brutalement par le bras qu'il l'entraîna jusqu'à la passerelle avant même qu'elle pût tenter de résister.

Se ressaisissant, Lisa se mit à se débattre.

— Non, Geoffrey, attendez !

— Pourquoi ? chuchota-t-il d'un ton enroué. Vous vous êtes laissé mystifier, Lisa, et plus vite vous partirez d'ici, mieux ce sera.

Il agrippa encore plus fermement le bras de la jeune fille. Celle-ci se démenait comme une forcenée. Quand enfin Geoffrey relâcha son étreinte, elle sentit son bracelet en argent glisser de son poignet et disparaître dans la nuit. Quelques secondes plus tard, un léger bruit indiqua que le bijou venait de tomber à la mer.

— Oh ! Mon bracelet ! Geoffrey, j'ai perdu mon bracelet ! s'écria-t-elle avec désespoir.

— Lisa, pour l'amour du ciel, taisez-vous sinon nous aurons tout l'équipage à nos trousses !

La jeune fille, accoudée au bastingage, les yeux inondés de larmes, tentait d'apercevoir son bijou dans les eaux noires clapotant tout doucement contre le yacht. Geoffrey, à bout de patience, essaya de lui prendre le bras, mais elle l'évita de justesse et s'enfuit vers la timonerie.

— Etes-vous folle ?

Il n'osait élever la voix mais jamais, cependant, Lisa ne l'avait vu dans une telle colère. Après tout, se dit-elle, il avait de bonnes raisons de l'être ; il était venu la délivrer et elle refusait de le suivre. Peut-être était-il amoureux d'elle comme l'avait prétendu Yusuf... Quoi qu'il en fût, Lisa était bien décidée à ne pas quitter le yacht en compagnie de Geoffrey sans avoir d'abord parlé à Yusuf.

— Geoffrey, dites-leur qu'il est inutile d'essayer d'empêcher la démolition de Zobi. Au contraire, les habitants ont été...

— Trop tard ! l'interrompit-t-il d'un ton cassant. Ils sont là, Lisa, et en rien de temps, ils auront éventré les sacs de ciment.

La jeune fille le dévisagea, les yeux hagards. Elle était moins préoccupée par les agissements du groupe que par l'opinion de Yusuf ; celui-ci serait convaincu qu'elle avait un rôle à jouer dans l'affaire.

— Les hommes d'équipage sont là-bas, chuchota-t-elle. Il n'y a pas que les ouvriers au village, Geoffrey. Yusuf a envoyé également tous les matelots du *Djenoun*. Ils les attendent... Oh, faites quelque chose avant qu'il ne soit trop tard !

— Il *est* trop tard, répliqua le jeune homme. Je vous l'ai dit : les membres du groupe sont déjà à l'œuvre. Personne ne les verra car les sacs de ciment sont empilés à l'autre extrémité de Zobi, sous les arbres.

— Oh, non ! s'exclama-t-elle, au bord des larmes. Yusuf croira...

— Au diable ce Yusuf ! jeta Geoffrey d'un ton sec. Sortons d'ici au plus vite !

Le jeune homme vint pour saisir le bras de Lisa mais celle-ci s'écarta brusquement pour lui échapper. En ce faisant, elle se heurta contre un objet dur et suffoqua de douleur. Elle venait de se cogner contre une grosse cloche de bronze, suspendue à côté de la timonerie. Le coup fit basculer la cloche qui résonna lugubrement dans les ténèbres.

Geoffrey poussa un juron puis s'écria :

— On vient ! Dépêchez-vous !

Il prit la jeune fille par le bras. Celle-ci, trop hébétée pour résister, se laissa entraîner sur la passerelle. Ils se mirent à courir comme deux fugitifs, à toute la vitesse de leurs jambes, jusqu'à la voiture du jeune homme garée au bout de la jetée.

En temps normal, Geoffrey n'aurait jamais réussi à s'approcher du yacht sans être vu. Mais Yusuf avait expédié tous ses hommes à Zobi et Ali était trop occupé pour l'avoir remarqué.

Le jeune homme poussa Lisa à l'intérieur de l'automobile, claqua la portière, puis contourna précipitamment le véhicule pour s'installer au volant. Le bruit du moteur déchira le silence ; Geoffrey mit le pied sur l'accélérateur et la voiture cahota sur la piste en direction de la route au moment même où Yusuf et Ali accouraient sur le pont du *Djenoun*.

Lisa, le cœur brisé, pleurait en silence. Geoffrey ne disait rien ; il concentrait son attention sur la piste. Tout à coup, il freina brusquement, et regarda par la vitre arrière du véhicule.

Lisa tourna également la tête et s'essuya les yeux pour mieux voir. On apercevait des lumières se déplacer sur la grève entre Zobi et le yacht.

— Satanée cloche ! murmura Geoffrey d'une voix enrouée avant d'éclater de rire. Les hommes se dirigent vers le *Djenoun ;* ils croient leur patron en difficulté et courent lui porter secours !

Lisa détourna le regard.

— Jamais il ne croira que j'ignorais votre présence là-bas, fit-elle d'une voix blanche, désespérée.

Le jeune homme fronça les sourcils avec impatience et redémarra.

— Qu'importe ? fit-il.

Lisa tripotait fiévreusement son poignet nu.

— Au contraire, cela m'importe beaucoup, répondit-elle, un sanglot dans la voix.

Geoffrey, néanmoins, ne l'avait pas entendue.

8

Lisa voyait bien que Mme Raymond se faisait du souci à son sujet. Depuis son retour, en effet, la jeune fille n'avait guère d'appétit. Et la gouvernante la regardait d'un œil inquiet chaque fois que les plats revenaient presque intacts à la cuisine.

Lisa n'avait pas mis le nez dehors ; elle passait ses journées à lire ou à se morfondre. Les événements qu'elle avait vécus à bord du *Djenoun* avaient littéralement bouleversé son existence.

Dire que deux jours plus tôt, elle nageait dans le bonheur et maintenant, elle était si malheureuse ! La jeune fille parlait peu, ne souriait plus. Tout cela à cause d'un homme qui jamais n'accepterait de la revoir.

Lisa avait téléphoné à son père pour l'avertir de son retour et en avait profité pour lui raconter l'épisode du « sauvetage ». John Pelham n'avait pas apprécié la façon dont elle avait faussé compagnie à son prétendu ravisseur alors qu'il avait à peine réagi quand Yusuf ben Dacra avait retenu sa fille de force sur son yacht !

La distribution de tracts, avait affirmé le conseiller commercial, était un geste non seulement infantile mais extrêmement impoli envers le pays qui leur donnait asile. Quant aux centaines de sacs de ciment que les militants avaient d'abord éventrés puis inondés d'eau, John Pelham n'arrivait pas à trouver les mots pour exprimer son dégoût. De plus, il avait vertement semoncé sa fille au téléphone d'avoir côtoyé de semblables voyous.

Lisa ne s'était évidemment pas attendue à recevoir les félicitations de son père mais l'attitude sévère, implacable du conseiller commercial l'avait blessée. Ce dernier avait également refusé d'entrer en rapport avec Yusuf ben Dacra pour lui expliquer la situation. Selon lui, sa fille s'était enfoncée de son plein gré dans ce bourbier, c'était à elle de se débrouiller pour en sortir. Si jamais il voyait Yusuf, toutefois, il s'excuserait auprès de lui d'avoir donné le jour à une enfant aussi irresponsable.

Lisa, après avoir raccroché, souhaita n'avoir jamais entendu parler de Balek. Elle imaginait la fureur de Yusuf devant ces actes de vandalisme injustifiés... sa stupeur en la croyant complice de Geoffrey.

La jeune fille se remémora cette dernière nuit. Elle aurait bien continué de se débattre pour ne pas s'enfuir ; mais abasourdie par la sonnerie tonitruante de la cloche, impressionnée par Geoffrey affirmant que les militants avaient déjà commencé leurs ravages, elle avait complètement perdu son contrôle.

Lisa, néanmoins, n'en rejetait pas toute la responsabilité sur le jeune homme ; au début, elle aussi s'était lancée en toute connaissance de cause dans cette aventure. La veille, toutefois, quand Geoffrey était passé lui rendre visite, elle avait refusé de le recevoir même si, tôt ou tard, elle était forcée de lui parler car le jeune diplomate ne se décourageait pas facilement.

Pour le moment, elle se moquait éperdument de ne plus jamais revoir Geoffrey. Mais à l'idée de perdre Yusuf, Lisa avait sangloté comme une enfant.

Elle avait déjà eu des amoureux ; pas un seul, cependant, ne l'avait troublée autant que cet homme tyrannique qu'elle avait poursuivi avec détermination pour lui faire part des menaces du groupe.

Yusuf ben Dacra était tout à fait différent des jeunes gens qu'elle avait connus. Plus mûr, plus raffiné, à la fois arrogant et tendre... jamais elle ne parviendrait à l'oublier. Elle n'avait qu'à fermer les yeux pour se retrouver sur le *Djenoun* en train de dîner en sa compagnie, à écouter ses confidences...

Elle sentait encore la caresse de ses doigts sur sa peau nue quand il avait glissé à son poignet le bracelet d'argent... Si elle avait perdu ce bijou, c'était la faute de Geoffrey ; et elle faillit le détester pour ce geste, même s'il ne l'avait pas fait exprès. Là-haut, dans sa garde-robe, était suspendu le *cafetan* rouge vermeil, seul souvenir des plus beaux jours de sa vie.

Soudain, la porte du salon s'ouvrit pour laisser passage à Mme Raymond.

— Monsieur Mason est ici, Miss. Voulez-vous le recevoir ?

C'était peut-être une chance, se dit la jeune fille, de revenir à la vie paisible d'autrefois. Elle se demandait si elle accepterait de revoir son ami quand le jeune homme, emboîtant le pas à la gouvernante, apparut soudain derrière elle dans l'embrasure de la porte. Lisa n'avait pas le choix ; elle opina de la tête et Mme Raymond s'écarta pour le laisser passer.

— Lisa !

Pourquoi, songea cette dernière, était-elle si irritée, tout à coup, de l'entendre dire son prénom comme s'il s'épelait avec un « z » au lieu d'un « s ». Yusuf, lui, le prononçait avec une telle douceur...

Geoffrey traversa la pièce à grandes enjambées en se donnant un air assuré, sans doute pour cacher sa nervosité. Lisa se rappela alors comme elle l'accueillait chaleureusement autrefois. Il s'installa à ses côtés sur l'ottomane garnie de coussins et lui prit les mains. Mais la jeune fille les retira aussitôt.

— Je suis passé vous voir hier, fit-il.

— Je sais, répondit-elle. Mme Raymond me l'a dit.

— Et vous avez refusé de me recevoir ?

Lisa évita son regard ; elle lissait les plis de sa jupe d'un geste fiévreux.

— Je... je n'avais envie de voir personne, Geoffrey.

— Pas même moi ? Vous n'êtes pas malade, Lisa ?

Le jeune homme semblait véritablement inquiet à son sujet et Lisa aurait voulu lui en être reconnaissante au lieu d'en ressentir de l'agacement.

— Mais non, je ne suis pas malade ! Je suis seulement...

Elle esquissa de la main un geste d'impuissance, incapable d'exprimer les sentiments étranges qui l'assaillaient. Geoffrey tenta de nouveau de lui prendre les mains mais elle s'écarta vivement.

— Vous êtes déçue de ce que nous avons fait à Zobi ? s'enquit-il doucement, remarquant la moue impatiente de la jeune fille. Où est la différence ? Après tout, vous êtes bien allée de vous-même attaquer Yusuf ben Dacra sur son propre terrain ! Que s'est-il passé à bord de ce yacht ? Vous n'êtes plus la même depuis votre retour !

Lisa le regarda en silence ; elle refusait de lui raconter les événements qui avaient précédé son fameux « sauvetage ». De plus, Geoffrey ne prêtait pas foi à ce que Yusuf avait raconté au sujet de Zobi ; et cela la mettait en colère. Pourquoi le jeune homme refusait-il d'admettre qu'il n'y avait pas matière à contestation ?

— N'avez-vous donc rien compris ? fit-elle avec lassitude. Le cheik Abahn reloge les habitants dans un nouveau village, sur de nouvelles terres, beaucoup plus fertiles que celles de Zobi. Ils vivront mieux qu'auparavant et n'ont aucune objection à déménager. Le sol de Zobi est aride ; ce n'est pas un sol pour les cultures. Pour y construire, cela n'a pas d'importance. Si vous réfléchissiez plus attentivement, vous comprendriez. De plus, vous auriez pu découvrir ces faits aussi facilement que vous avez découvert le projet de Yusuf pour Zobi.

Sans s'en rendre compte, Lisa venait de citer le riche Marocain presque mot pour mot. Geoffrey, toutefois, refusait encore d'y croire ; elle le voyait à sa mine.

— Vous semblez très convaincue, fit-il au bout d'un moment.

Lisa fronça les sourcils.

— Vous n'avez qu'à vérifier ! le défia-t-elle. Pourquoi ne le faites-vous pas ? N'est-ce pas vous qui, le premier, aviez entendu parler de ce projet ? Vous devriez être capable de connaître les détails par les mêmes moyens !

Lisa se sentait méchante, cruelle, mais elle n'y pouvait rien. Elle avait pitié du jeune homme. Il avait d'abord risqué sa carrière pour une bonne cause et maintenant, il apprenait que cette cause était dérisoire ! La vérité était dure à accepter et l'amertume se lisait sur son visage.

— Il y en a au moins une de persuadée, en tout cas, déclara-t-il après un long silence.

— Oui, je le suis ! J'ai appris à connaître Yusuf ben Dacra pendant ces quelques jours passés à bord du *Djenoun,* répondit-elle d'une voix mal assurée. Il m'a dit la vérité au sujet de Zobi, j'en suis fermement convaincue.

Geoffrey la regarda pensivement, se demandant dans quelle mesure elle avait connu son ravisseur. Puis il haussa les épaules d'un geste embarrassé.

— Et maintenant, que faire ? demanda-t-il.

Le jeune homme songeait évidemment aux conséquences sur son propre avenir des actes de vandalisme de Balek.

Il n'y avait pas pris part directement, pas plus que Lisa d'ailleurs, mais le groupe était une entité et serait jugé comme tel. Les deux jeunes gens seraient considérés aussi coupables que les vandales et la carrière de Geoffrey en subirait le contrecoup.

— Qui sait ? répliqua Lisa, éclatant d'un petit rire nerveux. Tout dépend de Yusuf. Néanmoins, au train où vont les choses, j'aurai beau plaider notre cause, je n'ai plus beaucoup de chances. Je pourrai toujours essayer, s'il le faut.

Elle se rappela les mains douces de Yusuf, sa bouche fiévreuse et fut parcourue d'un long frisson voluptueux.

— Il faut le connaître, poursuivit-elle d'une voix rauque. Il est... il est...

Elle se tut et secoua la tête. Geoffrey l'observait d'un regard étrange.

— Vous vous êtes laissé impressionner, remarqua-t-il avec aigreur. Vous n'essaierez pas de le revoir, n'est-ce pas, Lisa ?

Elle hésita.

— Je ne crois pas en avoir l'occasion, dit-elle simplement. Mais si tel était le cas, croyez-moi, je la saisirais. Parce que je *veux* le revoir.

— Oh, Lisa !

La jeune fille feignit d'ignorer le regard chargé de reproches de son ami. Elle secoua la tête, s'efforçant de conserver son sang-froid.

— Mais je l'aurai peut-être cette chance... je n'en suis pas sûre... je connais quelqu'un... enfin, j'ai fait la connaissance d'une personne qui pourrait m'aider...

Yacub Boudri, bien sûr ! Pourquoi n'y avait-elle pas songé plus tôt ? Et plus elle pensait au charmant jeune demi-frère de Yusuf, plus elle était optimiste. S'il refusait de collaborer, cependant, elle reviendrait à son point de départ ; mais elle ne perdait rien à essayer.

— Oui, il m'aidera, je le crois bien, prononça-t-elle pensivement sans en dévoiler davantage à Geoffrey. Je vais tenter ma chance.

— Lisa...

— Je vous en prie, Geoffrey, soyez gentil, partez maintenant, l'interrompit-elle.

Elle avait besoin de tout son courage et les arguments du jeune homme ne servaient qu'à la démoraliser.

— Si je réussis à voir Yusuf, à lui parler pour lui expliquer... poursuivit-elle.

Geoffrey n'avait pas l'air particulièrement enchanté de cette nouvelle. Il ne tenait pas du tout à ce que Lisa revît Yusuf ben Dacra. Cette dernière, toutefois, était bien décidée ; elle attendit donc avec impatience le départ de son camarade pour réfléchir au meilleur moyen de parvenir à ses fins.

— Ne vous inquiétez pas, fit-elle à Geoffrey en se levant. Je sais ce que je fais. Je n'irai pas me précipiter une seconde fois dans la gueule du loup, je vous le promets !

— Je le souhaite ! déclara le jeune homme d'un air sinistre.

Lisa, tout en allant le reconduire à la porte, se croisa les doigts. Elle ne pouvait se permettre de commettre une autre bévue en ce qui concernait Yusuf.

Le lendemain matin, Lisa avait pris sa décision. Elle téléphona à Yacub Boudri pour implorer son aide et se rendit compte, à sa grande surprise, qu'il était beaucoup moins difficile à atteindre que Yusuf. Elle avait prié Mme Raymond de chercher son numéro dans l'annuaire ; puis, prenant le combiné d'une main tremblante, elle avait demandé à parler à M. Yacub Boudri.

Chaque fois qu'elle avait tenté de rejoindre Yusuf au début de l'affaire pour lui faire part de l'avertissement de Balek, on lui avait toujours demandé la raison de son appel et si elle avait rendez-vous. Pour son jeune demi-frère, toutefois, c'était différent. Une voix répondit et demanda qui était à l'appareil ; Lisa, néanmoins, hésita.

— Dites-lui... dites-lui simplement que c'est de la part de la jeune fille qu'il a rencontrée dans le jardin, fit-elle.

— C'est tout ?

D'après le ton de la question, Lisa se douta qu'elle parlait à l'un des frères Boudri.

— Il... il comprendra, répondit-elle avec nervosité, souhaitant de tout son cœur que Yacub Boudri se souviendrait d'elle. Auriez-vous l'obligeance de l'avertir, s'il vous plaît ? Il viendra, j'en suis sûre.

— Oh, j'en suis *convaincu !* acquiesça la voix aussitôt. Ne quittez pas, je vais le chercher.

Lisa murmura un remerciement. Elle n'était certainement pas la première femme à téléphoner à Yacub Boudri, se dit-elle. Et cela devait bien amuser ses frères mariés.

Elle misait beaucoup sur la collaboration du jeune homme. Après tout, n'avait-il pas réussi à persuader Yusuf de la rencontrer dans le jardin le premier soir ?

Quelques instants plus tard, à son grand soulagement, le jeune homme prenait l'appareil.

— Je me souviens de vous, dit-il après les échanges d'usage. Vous êtes Anglaise et vous êtes très belle. Et très mystérieuse par surcroît, n'est-ce pas ? Vous refusez de me dévoiler votre nom ?

— Je préfère ne pas vous le dire, fit-elle d'une voix

altérée. Laissez-moi d'abord vous parler, monsieur, je vous en prie.

— Comme vous voudrez, acquiesça-t-il. Mais si vous recherchez ma collaboration comme vous l'avez fait la première fois que nous nous sommes rencontrés, appelez-moi Yacub ; j'insiste. Comment puis-je vous venir en aide, ma chère demoiselle ? Vous n'allez pas encore me demander de voir mon frère, je l'espère. C'est très mauvais pour mon orgueil et je n'ai pas l'habitude de me faire damer le pion par Yusuf.

Il n'en avait certainement pas l'habitude, en effet, se dit Lisa ; quant à son orgueil, il courait peu de danger !

— En effet, je désire voir Yusuf, expliqua-t-elle d'une voix mal assurée. Mais il refuse de me voir et...

— Ah ! Je me disais bien aussi ! déclara Yacub, apparemment ravi d'être aussi perspicace. Vous êtes Miss...

— Je vous en prie, implora Lisa vivement. Je ne voudrais pas qu'on vous entende, qu'on sache que vous me parlez.

— Lisa Pelham, est-ce bien cela ? chuchota Yacub.

La jeune fille acquiesça à voix basse.

— Vous... vous avez entendu parler de Zobi ? Sans aucun doute, songea-t-elle. Yacub Boudri n'était pas un imbécile, loin de là ; elle s'en était bien rendu compte quand ils avaient fait connaissance. Mais comme c'était un tombeur invétéré, on le prenait à tort pour un folichon. Quand il reprit la parole, il semblait davantage sur ses gardes ; et Lisa se mordit les lèvres de nervosité.

— Vous désirez revoir mon frère ? Ce ne sera pas facile, vu les circonstances ; vous me comprenez, Miss...

— Je sais, répondit-elle d'une voix si triste qu'elle

aurait touché le cœur le plus insensible. Il est encore à Zobi et si je m'y rends, il ne...

— Non, non, ma chère Miss Pelham. Mon frère n'est plus à Zobi ; il est rentré hier à Casablanca en voiture. Le *Djenoun* était trop lent à son goût bien que ce soit la première fois que je le lui entende dire.

Pourquoi avait-il tenu à rentrer si rapidement à Casablanca, songea Lisa, si ce n'était pour consulter ses avocats au sujet des poursuites à entreprendre contre le groupe ? Le cœur de la jeune fille battait si fort qu'elle n'arrivait plus à réfléchir clairement.

— Je... je l'ignorais, murmura-t-elle. Savez-vous... enfin, pourquoi est-il rentré si tôt ?

Elle avait dépassé les limites de la bienséance et se reprit immédiatement.

— Je suis désolée, monsieur, je ne puis vous poser cette question. Je suis désolée.

— Je ne saurais vous le dire, *ma chère demoiselle,* fit-il avec douceur.

Il n'ajouta rien, ne proposa aucune solution, mais au moins il n'avait pas raccroché. Lisa, encouragé, continua :

— Il est très important que je voie Yusuf... votre frère, insista-t-elle d'une voix rauque.

— N'est-ce pas ce que vous m'avez dit la première fois, lui rappela-t-il.

Le jeune homme se laissait-il attendrir, se demanda Lisa en percevant une modification dans sa voix ?

— C'est vrai. Mais c'est extrêmement important pour beaucoup de gens. Y compris mon père.

— John Pelham ?

Il avait donc entendu parler de son père et se rendait compte que la position du commercial était en jeu si Yusuf engageait des poursuites contre le groupe.

— C'est une situation délicate... D'accord ; si vous

désirez parler à mon frère à ce sujet, je vais tâcher d'organiser une rencontre. J'ai beaucoup de respect pour John Pelham et je n'aime pas voir une jolie femme pleurer. Je ferai tout en mon pouvoir pour vous aider.

— Oh, merci, merci ! s'écria Lisa, au bord des larmes.

— Connaissez-vous le café La Place, rue Hassan ? s'enquit-il.

— Oui, je le connais, murmura-t-elle.

Ce n'était pas tout à fait vrai mais elle s'arrangerait bien pour le trouver si c'était pour revoir Yusuf.

— Soyez-y à treize heures trente, continua le jeune homme. Je vais faire en sorte que Yusuf m'accompagne. Mais je ne vous promets rien. Mon frère n'est plus le même homme, Miss, et tout me porte à croire que vous y êtes pour quelque chose.

Lisa se sentit défaillir mais elle n'était pas prête à se rendre.

— Me... m'accuse-t-il ?

— Il a très peu parlé des événements de Zobi, dit Yacub avec sérieux. Mais jamais je n'ai entendu mon frère maudire autant l'inconstance féminine que depuis son retour. Et comme vous étiez la seule femme à bord, comme vous vous êtes enfuie dans des circonstances assez dramatiques, je suis donc amené à croire que vous êtes bien la femme contre laquelle il peste.

— Je suis désolée.

Lisa était prête à éclater en sanglots.

— Pourquoi ne pas le lui dire quand vous le rencontrerez, Miss ? suggéra Yacub. Ce café est un endroit calme, discret... idéal pour un rendez-vous. Me comprenez-vous ?

— Oh, oui, je vous comprends, je vous comprends parfaitement. J'y serai, promit Lisa, soulagée, d'une voix heureuse. Je ne sais comment vous remercier, monsieur. Je vous suis très reconnaissante de me venir en aide alors que vous ne me connaissez pas.

— Peut-être pourrons-nous y remédier, proposa-t-il en riant doucement. Je vous verrai donc à une heure et demie ? Au revoir, Lisa !

Lisa trouva le café sans difficulté mais elle hésita un moment avant d'y pénétrer. Jamais de toute sa vie elle ne s'était sentie aussi nerveuse. A la pensée de revoir Yusuf, la tête lui tournait. Elle avait tenté par deux fois d'entrer mais la peur l'avait fait reculer.

Elle finit par prendre son courage à deux mains en se rappelant que Yacub Boudri avait probablement eu beaucoup de mal à persuader son frère de l'accompagner et qu'il avait organisé le rendez-vous à la demande de la jeune fille.

Elle les aperçut dès l'instant où elle entra dans le café. Yusuf était assis en face de son frère à une petite table ; il tournait le dos à la porte. Lisa traversa la pièce, les jambes tremblantes.

Yacub, le menu à la main, bavardait avec animation mais Yusuf ne l'écoutait que d'une oreille distraite. La jeune fille était maintenant tout près de leur table ; prise de panique soudaine, elle se serait enfuie si Yacub, un sourire rassurant aux lèvres, ne s'était rapidement levé pour la saluer.

Yusuf, par souci de politesse sans doute, imita son frère. Et le coeur de Lisa battit follement en sentant tout près d'elle le séduisant ingénieur.

— Ah ! fit Yacub Boudri en simulant à merveille la surprise. Je me rappelle... vous êtes la ravissante jeune fille qui se cachait un soir dans les jardins de mon père, n'est-ce pas ? Comment aurais-je pu vous oublier ?

Sur ce, il se pencha et baisa rapidement la main de Lisa.

— Vous souvenez-vous de moi, *chère demoiselle ?* poursuivit-il.

— Oui ; oui, bien sûr, répondit-elle en passant avec anxiété une langue rose sur ses lèvres. Vous êtes Monsieur Boudri... Monsieur Yacub Boudri.

— Vous connaissez mon frère ?

Le jeune homme l'invita ensuite à s'asseoir à leur table.

— J'ignorais ce soir-là que vous étiez la fille de John Pelham, continua-t-il.

Lisa acquiesça, sans pour autant prendre un siège.

— Asseyez-vous, je vous en prie, Miss, fit Yacub, et permettez-moi de vous offrir à déjeuner.

La jeune fille pouvait difficilement faire autrement. Elle accepta donc l'invitation et s'installa à table sous le regard soupçonneux et sévère de Yusuf. Elle hésita avant de prendre le menu des mains de son hôte ; toute son attention était concentrée sur le ténébreux Marocain. Il était si près d'elle qu'elle aurait pu tendre le bras et le toucher. Celui-ci, cependant, contrairement à son jeune demi-frère, ne s'était pas assis. Il était toujours debout, derrière sa chaise, les mains sur le dossier. S'adressant à Yacub d'une voix grave et calme, il lui dit :

— J'ai accepté de déjeuner avec toi car tu n'aimes pas manger seul. Maintenant que tu as quelqu'un pour t'accompagner, je vais retourner à ce travail que j'avais interrompu pour toi, Yacub. Tu voudras bien m'excuser.

— Oh, tu resteras bien en si charmante compagnie, insista le jeune homme.

Si Yacub croyait le convaincre, il se trompait, songea Lisa. Elle connaissait suffisamment Yusuf ben Dacra pour savoir qu'il ne cèderait pas.

La jeune fille était malheureuse... plus qu'elle ne l'avait jamais été ; mais pour ne pas montrer son chagrin, elle garda les yeux baissés.

Yusuf fit un mouvement pour partir et effleura inconsciemment l'épaule de Lisa. Celle-ci, enivrée par ce contact fugitif, sentit les battements de son cœur s'accélérer. Pour le beau Marocain, néanmoins, le travail n'était qu'un prétexte, elle en était persuadée. S'il refusait l'invitation de son frère, c'était pour ne pas avoir à partager un repas avec elle.

— Yusuf, se hasarda-t-elle, sans oser lever les yeux vers lui, essayant de trouver les mots qui sauraient le convaincre. Je vous en prie, croyez-moi, je je... je ne voulais pas partir avec Geoffrey...

— Vous me demandez de croire chose pareille ? Alors que vous vous êtes enfuie avec lui dès qu'il est arrivé ? l'interrompit-il brutalement. Alors que vous avez sonné la cloche pour avertir vos amis que vous vous étiez soustraite à mes griffes et qu'ils pouvaient se mettre à l'œuvre ? Qui a eu cette brillante idée, d'ailleurs ? Vous ou votre... ami ?

— Ni lui ni moi ! nia Lisa d'une voix étouffée. J'ignorais que Geoffrey viendrait et si j'ai heurté cette cloche, c'est par accident ! Ce n'était pas un signal !

— La sonnerie a pourtant déclenché les actes de vandalisme, fit Yusuf, implacable. De plus, vous ne vous êtes certainement pas débattue très longtemps contre votre sauveteur puisque vous étiez déjà dans sa voiture quand je suis arrivé sur le pont !

— J'ai vainement essayé de lui échapper !

— Pourquoi ? exigea Yusuf, sans pitié. D'après votre père, vous fréquentez ce jeune homme depuis un certain temps. De plus, vous m'aviez averti à maintes reprises que lui ou l'un des autres viendrait vous délivrer ! Pourquoi nier qu'il est votre amant ? Me prenez-vous pour un imbécile parce que je me suis permis d'être... gentil avec vous ?

Yusuf se cramponnait maintenant au dossier de ma chaise. Lisa eut un long frisson.

— Peut-être aviez-vous une bonne raison de me considérer comme un imbécile, lança-t-il d'une voix dure, mais vous n'en aurez plus, Miss. Plus jamais. Je vous le promets.

Yacub ne comprenait pas ; mais ébranlé par la virulence de son frère, il tenta de l'apaiser.

— Yusuf, je t'en prie, dit-il avec circonspection. Tu es injuste envers Miss Pelham, j'en suis convaincu. Tu es furieux...

— Et j'ai d'excellentes raisons de l'être ! Miss Pelham est au courant ! l'interrompit son frère d'un ton impatient.

— Ecoute plutôt ce que Miss Pelham a à te dire, se hasarda le jeune homme une seconde fois.

— Oh, je vous en prie, s'écria Lisa, suffocante.

Elle mit quelques secondes à se ressaisir avant de reprendre la parole.

— C'est inutile, monsieur. Yusuf... votre frère a pris une décision et ne changera certainement pas d'idée à cause de moi !

Yusuf continuait d'agripper le dossier de sa chaise.

— J'ai beaucoup de travail qui m'attend, fit ce dernier à l'intention de son jeune frère. Tu m'excuseras, Yacub, je l'espère. De plus, Miss Pelham sera plus à l'aise si je vous laisse seuls.

— Tu es bien décidé ? s'enquit Yacub qui n'avait pas, lui non plus, l'habitude d'être perdant.

— Excuse-moi ! *Mademoiselle...*

Il s'inclina avec une politesse glaciale et s'éloigna à grands pas.

Puis Yacub se tourna vers la jeune fille.

— Je ne sais que dire, fit-il, désemparé par le manque de collaboration de son aîné. Je n'aurais pas cru qu'il se comporterait ainsi, Miss. Son attitude me dépasse.

Lisa essaya aussitôt de trouver des excuses pour justifier le comportement de Yusuf.

— Je comprends la raison de sa colère, dit-elle d'une voix blanche. Je... j'aurais souhaité, cependant, pouvoir le convaincre de mon innocence.

— Vous ignoriez donc réellement ce que faisaient les autres ?

Lisa secoua la tête tandis que Yacub l'observait avec perspicacité. Puis, posant carrément ses coudes sur la table, il déclara en souriant :

— Dans ce cas, il faut l'en convaincre.

Lisa, les yeux mouillés de larmes, posa le menu devant elle sans l'avoir lu ; elle était incapable de manger quoi que ce soit.

— Il ne m'écoutera pas, murmura-t-elle d'un ton rauque. Je le connais... une fois qu'il a pris une décision, personne ne peut lui faire changer d'avis.

— Vous *croyez* le connaître, répliqua Yacub Boudri en prenant la main de la jeune fille et en la portant à ses lèvres tout en la regardant de ses yeux langoureux. Vous ne le connaissez pas aussi bien que moi, gentille Lisa. Je vais faire en sorte que vous vous rencontriez de nouveau et cette fois-ci, il vous écoutera. Si, si, je vous l'assure, vous *pouvez* le forcer à vous écouter, insista-t-il comme elle allait le contredire.

Il posa un baiser léger sur les doigts de la jeune fille avec un sourire confiant.

— Je ne suis pas un joueur, continua-t-il. Mais je paierais un bon nombre de *dirhams* que vous pourriez persuader mon frère Yusuf de faire n'importe quoi ou presque.

Lisa lui adressa un pauvre sourire mais ne répondit pas.

Elle souhaitait, au fin fond de son cœur, que Yacub eût raison. Yusuf croyait qu'elle avait menti et cette idée lui était insupportable.

9

Lisa était sans nouvelles de Yacub Boudri depuis l'épisode du café, soit depuis trois jours. Il lui avait promis d'organiser une rencontre avec Yusuf mais elle doutait fort que ses efforts fussent couronnés de succès.

Elle n'avait pas non plus aperçu Geoffrey. Et quand Mme Raymond lui annonça la visite du jeune homme, elle eut un haussement d'épaules résigné et fit un effort pour cacher son affliction, ignorant que son sourire tendu, ses yeux rougis ne dupaient personne.

— Bonjour, Lisa, dit-il en entrant dans le salon.

Il fit mine de lui prendre la main, mais se ravisa et alla s'asseoir dans un fauteuil au lieu de s'installer sur l'ottomane aux côtés de sa camarade, comme il l'avait toujours fait.

— Vous... vous sentez-vous mieux ? s'enhardit-il.

— Oui, je vous remercie.

— Je ne suis pas venu avant, parce que... commença-t-il en examinant le carrelage avec attention. J'ai eu l'impression, la dernière fois, que vous me blâmiez de vous avoir arrachée aux mains de ben Dacra.

— Je n'avais pas besoin d'être délivrée, expliqua-t-elle d'un air distant. Mon père savait où j'étais ; il connaît la famille du cheik depuis des années. De plus, je n'étais pas vraiment prisonnière à bord du *Djenoun*.

— En effet! lança-t-il, se rappelant le sourire ébloui de la jeune fille, dans son superbe *cafetan*, le dernier soir. Vous aviez l'air de bien vous divertir ! Je m'en suis rendu compte depuis, fit-il amèrement. Je suis désolé pour le bracelet, ajouta-t-il d'une voix terne. Vous sembliez y tenir beaucoup, même si je ne vous l'avais jamais vu auparavant.

— Yusuf me l'avait acheté à Goulimine.

— A Gou... ? Vous êtes allés à...

Il s'interrompit brusquement, le visage empourpré.

— Comme j'ai été bête !

— Oh, non, Geoffrey, ne dites pas cela ! Vous avez couru un grand danger en venant me chercher. Cependant, si vous m'aviez laissé le temps de vous expliquer la vérité au sujet de Zobi, je ne serais pas aussi malheureuse aujourd'hui.

— Comme j'ai été bête! insista Geoffrey avec amertume. Et maintenant, Lisa, que ferez-vous? Votre... cette personne qui doit vous aider...

Lisa se leva et se mit à faire les cent pas.

— La rencontre a été un échec total. Yusuf a refusé de m'écouter. Cette personne a promis d'organiser un autre rendez-vous ; mais j'ai perdu tout espoir. Oh! pourquoi Yusuf est-il si têtu? s'écria-t-elle avec impatience. Pourquoi ne me croit-il pas quand j'essaie de lui dire que j'ignorais tout de ce raid sur le village ?

— C'est primordial pour vous, n'est-ce pas ? s'enquit le jeune homme après un moment. Il est persuadé que vous étiez au courant de l'activité du groupe et cela a énormément d'importance à vos yeux...

— Oui, admit-elle. Je n'essaierai pas de le nier.

— C'est bien ce que je craignais, fit Geoffrey, le regard empli d'une intense souffrance.

— Oh, Geoffrey... s'écria-t-elle, la bouche tremblante.

— Vous connaissez mes sentiments pour vous, continua-t-il d'une voix incroyablement calme. Peut-être aurais-je dû vous les dévoiler plus tôt mais je croyais que vous aviez compris. C'est une réserve tout à fait britannique, ajouta-t-il avec un sourire mélancolique. J'avais négligé de tenir compte de l'attrait qu'exercent des hommes comme Yusuf ben Dacra sur les femmes.

Lisa était au bord des larmes. Elle avait doublement perdu. Jamais Yusuf ne céderait et jamais elle ne serait à nouveau en bons termes avec Geoffrey.

— Voulez-vous que je m'en aille ? s'enquit-il.

— Ce serait préférable, en effet, acquiesça la jeune fille tristement. J'ai le sentiment... commença-t-elle en s'essuyant les yeux. Je suis désolée, Geoffrey, je... je ne suis pas insensible à... Je ne voulais pas que vous soyez amoureux de moi, termina-t-elle, la gorge nouée. Cela fait mal, très mal... je le sais.

— Oh, Lisa, Lisa ! fit Geoffrey en serrant fiévreusement les épaules de la jeune fille. Si votre... votre satané cheik résiste à vos charmes, il n'est pas digne de ses ancêtres français ! S'il vous rejette, ce n'est pas un homme !

Il se pencha et posa un baiser tendre sur les lèvres de son amie.

— Quant à moi, jamais je n'arriverai à vous oublier, murmura-t-il. Adieu, mon amour !

Il l'embrassa une dernière fois, tourna les talons et disparut.

Lisa feuilletait un journal quand on la demanda au téléphone. C'était Yacub, plus charmant que jamais et d'une gaieté de bon augure.

— Mon père reçoit ce soir, ma chère Lisa, fit le jeune homme à voix basse. J'espère que vous y serez.

— Yacub, je ne puis... enfin, c'est impossible. Je ne puis aller chez vous ! On refusera de me laisser entrer !

— Vous êtes pourtant déjà venue, lui rappela-t-il en riant.

— Vous voulez dire que... que je devrais entrer par la... Oh, non ! Je n'oserais jamais !

— Même pour revoir Yusuf ? la défia Yacub, sachant qu'elle aurait du mal à résister à la tentation.

Mais Lisa réfléchissait. Elle avait en effet une envie folle d'y aller mais elle risquait de se faire chasser à nouveau par Yusuf de la propriété du cheik Abahn.

— Lisa ? Vous êtes là ?

— Etes-vous bien sûr, Yacub, que je devrais y aller ? La dernière fois, il m'a jetée à la rue !

— Oui, mais il n'avait pas encore passé plusieurs jours... et plusieurs nuits... en votre compagnie à bord du *Djenoun*, jolie Lisa ! répliqua le jeune homme en riant. Vous vous présentez donc à la poterne ; elle ne sera pas fermée à clef car j'y veillerai. Puis vous attendrez dans le jardin, comme le premier soir. Yusuf vous y rejoindra, je vous le promets. Me faites-vous confiance ?

— Oui ; oui, bien sûr, répondit Lisa.

Elle ne pouvait laisser passer cette chance de le revoir car elle ne savait pas si l'occasion se présenterait à nouveau.

— J'y serai, ajouta-t-elle. Et... Yacub, je vous remercie.

Lisa enfila le *cafetan* rouge, cadeau de Yusuf. Cela me portera bonheur, pensa-t-elle. Et en se regardant devant la glace, elle se rappela l'inoubliable soirée où elle l'avait porté pour la première fois.

Puis, elle descendit l'escalier à la hâte. Un taxi l'attendait.

Le chauffeur emprunta la même route qu'elle avait parcourue avec Geoffrey, puis s'engouffra dans la petite rue étroite, mal éclairée, bordée de murs escarpés où se trouvait la fastueuse demeure du cheik Abahn.

Lisa fit signe à l'homme de s'arrêter devant l'une des poternes. Le chauffeur se retourna et regarda la jeune fille avec étonnement ; dans un mélange d'arabe et de français, il entreprit de la persuader qu'il était fort dangereux pour elle de se retrouver seule, en pleine nuit, dans un endroit aussi désert. Lisa se contenta de lui adresser un sourire résolu et descendit de la voiture. Puis elle attendit que le taxi eût disparu au coin de la rue pour ouvrir la porte.

Le long couloir sombre et glacial sentait l'humidité... comme la première fois. La jeune fille fut alors saisie d'un tremblement violent.

Elle déboucha enfin dans le jardin et respira profondément pour tenter de calmer les battements désordonnés de son cœur.

Si Yusuf refusait d'entendre ses explications, elle quitterait Casablanca pour toujours, se promit-elle alors. Son père serait stupéfait mais Geoffrey, lui, comprendrait certainement. Pourquoi n'était-elle pas tombée amoureuse du jeune homme ? Yusuf ben Dacra n'était-il pas qu'un beau rêve, un rêve impossible ?

Elle entendait des éclats de voix provenant de la maison. Tout était si semblable au premier soir qu'elle eut soudain l'impression de revivre une situation et se demanda même si elle n'avait pas imaginé ses aventures à bord du *Djenoun*.

Lisa s'approcha du jet d'eau ; le murmure de la cascade l'apaisa quelque peu et elle se pencha au-dessus de la vasque pour se rafraîchir les mains tout en essayant de mettre un peu d'ordre dans le chaos de ses sensations confuses... car elle souhaitait et appréhendait à la fois la venue de Yusuf.

Dans l'eau du bassin se mirait un immense jacaranda agitant ses longues feuilles sous la lumière blafarde de la lune. La jeune fille se surprit à songer à son dernier dîner au clair de lune, aux doigts puissants de Yusuf caressant sa peau, à ses lèvres fiévreuses sur sa nuque quand il l'avait implorée de partir afin de tenir sa parole.

Soudain, elle sursauta. Une silhouette sombre venait de se refléter à son tour dans la vasque... la silhouette d'un homme dont le visage hâlé aux traits décidés semblait avoir été taillé dans le teck.

Lisa se retourna et s'agrippa au rebord du bassin en tremblant. Elle secoua lentement la tête.

— Yusuf, implora-t-elle à voix basse.

— On m'a persuadé de vous voir contre mon gré, fit-il d'un ton dur.

— Je... je vous remercie d'être venu, chuchota-t-elle.

Qu'était-il advenu de la femme libérée qui n'avait pas craint de monter clandestinement sur le *Djenoun* pour signifier un ultimatum à son propriétaire? songea-t-elle.

Yusuf émit un grognement d'impatience, puis il sortit une cigarette de sa poche. La flamme du briquet éclaira pendant un court instant les yeux veloutés, la bouche sensuelle du Marocain et Lisa crut défaillir.

— Voulez-vous m'écouter, Yusuf? demanda-t-elle avec douceur.

Il s'assit brusquement sur le rebord du bassin et observa la jeune fille l'espace d'un moment.

— J'ai promis de vous entendre, dit-il. D'après mon frère, je vous ai maltraitée et je devrais me montrer moins intransigeant envers vous. Fin de citation, ajouta-t-il rapidement.

Lisa, les sens embrasés, ne pouvait détacher son regard des mains de Yusuf qui savaient être si caressantes.

— Vous n'en voudrez pas à Yacub, je l'espère, de m'être venu en aide.

— De vous avoir laissée entrer par la poterne comme vous l'aviez fait la dernière fois, ajouta-t-il.

— Pas tout à fait, rectifia la jeune fille. La dernière fois, Yacub n'y était pour rien.

Yusuf la regardait sans broncher. Il semblait calme, assis négligemment sur le rebord du bassin. Mais sur son front, quelques ridules révélaient combien il était tendu.

— Dites-moi, fit-il, la raison de ma présence ici ce soir.

Il semblait si persuadé de la culpabilité de la jeune fille que les yeux de cette dernière s'emplirent brusquement de larmes.

— Oh, Yusuf, ne me jugez pas si sévèrement ! supplia-t-elle dans un murmure. J'ignorais ce qui allait arriver. Comment l'aurais-je su ? Et d'ailleurs, croyez-vous que j'aurais pu vous mentir avec autant... d'audace ?

Les traits du beau Marocain étaient toujours menaçants mais sa voix laissait deviner un léger fléchissement.

— J'espère que non, déclara-t-il.

— Je n'en aurais pas été capable, insista-t-elle. Je ne vous ai jamais menti, Yusuf. Je ne savais pas que les membres du groupe étaient là ; c'est Geoffrey qui me l'a annoncé. Ma première réaction a été d'accourir vers vous pour vous mettre en garde. J'ai supplié Geoffrey de les retenir, j'ai tenté de lui faire comprendre. Mais il ne songeait qu'à m'aider à m'enfuir du *Djenoun*, sans savoir si je le désirais ou non.

— Et vous l'avez suivi.

— Je n'avais pas le choix ! J'étais bouleversée car mon bracelet venait de tomber à la mer et j'en blâmais Geoffrey. Puis il m'a appris la présence des militants de Balek à Zobi. Et quand j'ai voulu courir vous l'apprendre, il m'a prise par le poignet pour tenter de m'entraîner. Je me suis débattue et, essayant d'échapper à son étreinte, j'ai heurté la cloche. J'ai eu une peur terrible en l'entendant sonner et avant d'avoir pu me ressaisir, j'étais poussée sur la passerelle et précipitée dans sa voiture... Il était dans une telle colère qu'il s'avérait impossible de le raisonner.

— Il était jaloux, fit Yusuf en observant le bout incandescent de sa cigarette.

— Oui, mais je ne le soupçonnais pas.

— Est-il amoureux de vous ? s'enquit-il sans la regarder.

— Oui, il me l'a ensuite dit.

— C'était donc de la jalousie, fit Yusuf en se levant et en jetant son mégot dans la vasque. Avait-il des raisons de l'être, Lisa ? demanda-t-il avec douceur.

Lisa ne répondit pas immédiatement. Elle tremblait de la tête aux pieds.

— Si seulement je le savais, murmura-t-elle.

— Pourquoi êtes-vous venue, Lisa ?

La jeune fille essaya de mettre un peu d'ordre dans ses pensées confuses. Elle était là pour plaider la cause de son père, de Geoffrey et des autres ; elle ne devait pas l'oublier.

— Je voulais vous demander... je voulais vous supplier de... de ne pas entreprendre de poursuites judiciaires contre les membres du groupe, commença-t-elle d'une voix altérée. Mon père en subira les conséquences. Je n'aimerais pas que vous vous vengiez car cela risquerait de faire du mal à beaucoup de gens. Pas seulement à ceux qui ont agi de façon irréfléchie mais à mon père et à leurs familles.

— Vous êtes donc venue les défendre ?

— Oui, fit Lisa sans hésiter.

Le Marocain resta immobile pendant quelques minutes sans prononcer une parole.

— Pour cette fois-ci... cette fois-ci uniquement, fit-il.

Lisa poussa un long soupir de soulagement. Elle se haussa sur la pointe des pieds, prit la tête de Yusuf entre ses mains et posa un baiser sur sa joue.

— Merci, chuchota-t-elle, la gorge serrée. Merci, Yusuf !

Le ténébreux Marocain attira alors lentement la jeune fille vers lui dans un geste d'une sensualité telle qu'elle tressaillit jusqu'au tréfonds de son être.

— Est-ce là la seule raison de votre présence ici ? murmura-t-il tout en serrant passionnément la jeune fille contre son corps viril.

— Non, chuchota-t-elle, le cœur en fête, car Yusuf venait d'effleurer sa joue de ses lèvres brûlantes. Je... je voulais vous revoir, je voulais... vous toucher, vous...

Le Marocain se pencha sur elle, cherchant sa bouche, y déposant de tendres baisers. Soudain, il fut saisi d'un désir dévastateur et l'embrassa avec une frénésie qui la fit suffoquer.

Puis il releva la tête et, entourant toujours Lisa de ses bras musclés, il murmura :

— Je croyais que vous vous étiez moquée de moi. Je me suis trompée, semble-t-il.

Il prit de nouveau sa bouche dans un élan de volupté.

— Si vous saviez seulement combien je *désirais* m'être trompé ! C'est pour cela que je suis venu ce soir. Et non pas parce que Yacub me l'a demandé. Je voulais vous entendre dire que vous ne m'aviez pas mystifié !

— Vous vous trompiez, affirma Lisa d'une voix rauque. Si j'avais pu vous faire part de ce qui se tramait à Zobi, je l'aurais fait, Yusuf ; c'était mon intention.

Elle baissa les yeux. En apercevant son torse hâlé, elle fut prise de nouveau d'un long frisson sensuel et entoura la nuque du Marocain de ses bras.

— Je veux vous croire, *ma chérie,* dit-il avec une douceur infinie en repoussant de ses lèvres une mèche de cheveux blonds sur le front de la jeune fille. Jurez-moi de toujours me dévoiler vos sentiments, jurez-moi que jamais plus le doute n'effleurera mon esprit. Est-ce possible ?

Le visage de Lisa s'éclaira d'un sourire confiant.

— C'est possible, murmura-t-elle en caressant sa nuque.

— Je vous aime ! Si vous saviez quels tourments j'ai vécus depuis quelques jours.

Lisa, les yeux étincelants de bonheur, l'observa un long moment puis nicha sa tête contre sa poitrine musclée.

— Oh, Yusuf, mon amour !

Il se pencha sur elle et écarta ses lèvres avec avidité, avec violence. Lisa, blottie contre lui, découvrait avec extase des voluptés jusque là inconnues.

— Voulez-vous m'épouser ? murmura Yusuf à son oreille d'une voix grave et rauque. Votre père m'accordera-t-il votre main ?

Lisa leva la tête et déclara d'un air mutin :

— Je n'ai pas besoin de sa permission pour vous épouser. Je vous aime et je suis une femme libérée.

Yusuf la serra encore plus étroitement contre lui.

— Plus maintenant, mon âme, prononça-t-il avant de l'embrasser avec une telle fougue que Lisa ne songea même pas à le contredire.

La fascination des époques révolues

Au fil du Temps...

"Elle travaillait à sa tapisserie, brodait un ouvrage ou suivait les cours de son maître de chant, tout en rêvant au prince charmant, ce beau gentilhomme aux yeux si doux qui l'admirait hier soir, au bal."

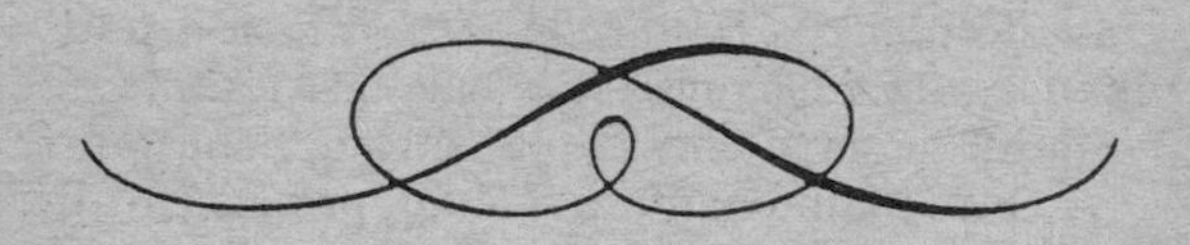

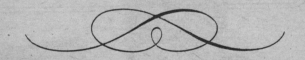